NUMERI PRIMI

ALESSANDRO D'AVENIA

BIANCA COME IL LATTE ROSSA COME IL SANGUE

MONDADORI

www.librimondadori.it - www.numeriprimi.com

Bianca come il latte, rossa come il sangue
di Alessandro D'Avenia
© 2010 Arnoldo Mondadori Editore S.p.A., Milano

ISBN 978-88-6621-005-4

I edizione Scrittori italiani e stranieri gennaio 2010
I edizione NumeriPrimi° marzo 2011

Anno 2012 - Ristampa   · 11 12 13 14

BIANCA COME IL LATTE
ROSSA COME IL SANGUE

Ai miei genitori,
che mi hanno insegnato a guardare
il cielo con i piedi per terra.

Ai miei alunni,
che m'insegnano ogni giorno
a rinascere.

Un figlio di Re mangiava a tavola. Tagliando la ricotta, si ferì un dito e una goccia di sangue andò sulla ricotta. Disse a sua madre: «Mammà, vorrei una donna bianca come il latte e rossa come il sangue».

«Eh, figlio mio, chi è bianca non è rossa, e chi è rossa non è bianca. Ma cerca pure se la trovi.»

L'amore delle tre melagrane, in Italo Calvino, *Fiabe italiane*

Ogni cosa è un colore. Ogni emozione è un colore. Il silenzio è bianco. Il bianco infatti è un colore che non sopporto: non ha confini. Passare una notte in bianco, andare in bianco, alzare bandiera bianca, lasciare il foglio bianco, avere un capello bianco... Anzi, il bianco non è neanche un colore. Non è niente, come il silenzio. Un niente senza parole e senza musica. In silenzio: in bianco. Non so rimanere in silenzio o da solo, che è lo stesso. Mi viene un dolore poco sopra la pancia o dentro la pancia, non l'ho mai capito, da costringermi a inforcare il mio bat-cinquantino, ormai a pezzi e senza freni (quando mi deciderò a farlo riparare?), e girare a caso fissando negli occhi le ragazze che incontro per sapere che non sono solo. Se qualcuna mi guarda io esisto.

Ma perché sono così? Perdo il controllo. Non so stare solo. Ho bisogno di... manco io so di cosa. Che rabbia! Ho un iPod in compenso. Eh sì, perché quando esci e sai che ti aspetta una giornata al sapore di asfalto polveroso a scuola e poi un tunnel di noia tra compiti, genitori e cane e poi di nuovo, fino a che morte non vi separi, solo la colonna sonora giusta può salvarti. Ti sbatti due auricolari nelle orecchie ed entri in un'altra dimensione. Entri nell'emozione dal colore giusto. Se ho bisogno di innamorarmi: rock melodico. Se ho bisogno di caricarmi: metal duro e puro. Se ho bisogno di pomparmi: rap e crudezze varie, parolacce soprattutto. Così non resto solo: bianco. C'è qualcuno che mi accompagna e dà colore alla mia giornata.

Non che io mi annoi. Perché avrei mille progetti, diecimila desideri, un milione di sogni da realizzare, un miliardo di cose da iniziare. Ma poi non riesco a iniziarne una che sia una, perché non interessa a nessuno. E allora mi dico: Leo, ma chi cazzo te lo fa fare? Lascia perdere, goditi quello che hai.

La vita è una sola e quando diventa bianca il mio computer è il miglior modo per colorarla: trovo sempre qualcuno con cui chattare (il mio nick è Il Pirata, come Johnny Depp). Perché questo lo so fare: ascoltare gli altri. Mi fa stare bene. Oppure prendo il bat-cinquantino senza freni e giro senza meta. Se una meta ce l'ho vado a trovare Niko e suoniamo due canzoni, lui con il basso e io con la chitarra elettrica. Un giorno saremo famosi, avremo la nostra band, la chiameremo La Ciurma. Niko dice che dovrei anche cantare perché ho una bella voce, ma io mi vergogno. Con la chitarra cantano le dita e le dita non arrossiscono mai. Nessuno fischia un chitarrista, un cantante invece...

Se Niko non può ci vediamo con gli altri alla fermata. La fermata è quella del bus davanti a scuola, quella alla quale ogni ragazzo innamorato ha dichiarato al mondo il suo amore. Ci trovi sempre qualcuno e a volte qualche ragazza. A volte anche Beatrice, e io, alla fermata davanti a scuola, ci vado per lei.

È strano: di mattina a scuola non ci vuoi stare e al pomeriggio invece ci trovi tutti. La differenza è che non ci sono i vampiri, cioè i prof: succhiasangue che tornano a casa e si chiudono nei loro sarcofaghi, aspettando le prossime vittime. Anche se, al contrario dei vampiri, i prof agiscono di giorno.

Ma se davanti a scuola c'è Beatrice è un'altra cosa. Occhi verdi che quando li spalanca prendono tutto il viso. Capelli rossi che quando li scioglie l'alba ti viene addosso. Poche parole ma giuste. Se fosse cinema: genere ancora da inventare. Se fosse profumo: la sabbia al mattino presto, quando la spiaggia è sola con il mare. Colore? Beatrice è rosso. Come l'amore è rosso. Tempesta. Uragano che ti spazza via. Terremoto che fa crollare il corpo a pezzi. Così mi sento ogni volta che la vedo. Lei ancora non lo sa, ma un giorno di questi glielo dico.

Sì, un giorno di questi glielo dico che lei è la persona fatta apposta per me e io per lei. È così, non c'è scampo: quando se ne accorgerà sarà tutto perfetto, come nei film. Devo solo trovare il momento adatto e la pettinatura giusta. Perché credo che sia soprattutto un problema di capelli. Solo se Beatrice me lo chiedesse li taglierei. Ma se poi perdo le forze come quello lì della storia? No, il Pirata non può tagliarsi i capelli. Un leone senza criniera non è un leone. Il mio nome è Leo mica per niente.

Una volta ho visto un documentario sui leoni, dalla boscaglia usciva un maschio dalla criniera enorme e una voce calda diceva: "Il re della foresta ha la sua corona". Così sono i miei capelli: liberi e maestosi.

Quanto è comodo tenerli come fanno i leoni. Quanto è comodo non doverseli mai pettinare e immaginarsi che vadano su liberi, come fossero tutti i pensieri che mi crescono in testa: ogni tanto esplodono e si disperdono. Io i pensieri li regalo agli altri, come le bolle della Coca appena aperta, che fa quel rumore così esaltante! Io con i capelli dico un sacco di cose. Quanto è vero. Quanto è vero questo che ho detto.

Tutti mi capiscono solo dai capelli. Cioè, almeno gli altri di scuola, quelli della ciurma, gli altri Pirati: Spugna, Stanga, Ciuffo. Papà ci ha rinunciato da un pezzo. La mamma non fa altro che criticarli. La nonna quando mi vede per poco non muore di infarto (ma se hai novant'anni è il minimo).

Ma perché fanno così fatica a capire i miei capelli? Prima ti dicono *devi essere autentico, devi esprimerti, devi essere te stesso!* Poi, quando cerchi di mostrarti come sei, *non hai identità, ti comporti come tutti gli altri.* Ma che ragionamento è? Bah, chi lo capisce: o sei te stesso o sei come tutti gli altri. Tanto a loro non va mai bene niente. E la verità è che sono invidiosi, soprattutto i pelati. Se divento pelato io mi uccido.

Comunque se a Beatrice non piacciono dovrò darci un taglio a questi capelli, ma ci voglio pensare. Perché potrebbe essere anche un punto di forza. Beatrice, o mi ami così come sono, con questi capelli, o non se ne fa niente, perché se non siamo d'accordo su queste piccole cose come potremo mai stare insieme? Ognuno deve essere se stesso e accettare l'altro così com'è – lo dicono sempre in tivù – altrimenti che amore è? Dài, Beatrice, ma perché non lo capisci? E poi di te mi va tutto bene, quindi tu parti avvantaggiata.

Sempre in testa, le ragazze. Ma come fanno a vincere sempre? Se sei bella hai il mondo ai tuoi piedi, scegli quello che vuoi, fai quello che vuoi, ti metti quello che vuoi... non importa, tanto tutti ti ammirano lo stesso. Che fortuna!

Io invece ci sono giorni che non uscirei di casa. Mi sento così brutto che me ne starei barricato in camera, senza guardarmi allo specchio. Bianco. Con la faccia bianca. Senza colore. Che tortura. Ci sono giorni invece che sono rosso anche io. Ma dove lo trovi un ragazzo così? Mi incollo addosso la maglietta giusta, mi spalmo i jeans che cadono bene e sono un dio: Zac Efron potrebbe solo farmi da segretario. Me ne vado da solo per strada. Alla prima che incontro potrei dire: "Senti, bella, usciamo stasera perché ti voglio dare questa incredibile opportunità! E ti conviene, perché se mi stai a fianco tutti ti guarderanno e diranno: come cazzo ha fatto a rimorchiare uno così?! Le tue amiche invecchieranno dall'invidia".

Che dio che sono! Che vita piena che ho. Non mi fermo un attimo. Se non fosse per la scuola sarei più riposato, bello e famoso.

La mia scuola porta il nome di un personaggio di "Topolino": Orazio. Ha i muri scrostati, le aule incrostate, lavagne più grigie che nere e cartine geografiche sfilacciate con continenti e nazioni ormai sbiaditi e alla deriva... I muri hanno due colori – bianco e marrone –, come il Cucciolone, ma non c'è niente di dolce a scuola: solo la campanella di fine giornata che, quando s'incanta, sembra voglia urlarti: "Hai buttato un'altra mattinata tra queste mura bicolori. Scappa!".

In pochi casi la scuola è utile: quando mi sorprende lo sconforto e annego nei pensieri bianchi. Mi chiedo dove sto andando, che sto facendo, se in futuro combinerò niente di buono, se... Ma per fortuna la scuola è il parco giochi più pieno di gente nelle mie stesse condizioni che io conosca. Parliamo di tutto, dimenticandoci i pensieri che alla fine non ti portano a niente. I pensieri bianchi non portano a niente e i pensieri bianchi li devi eliminare.

In un Mac che odora di Mac divoro le patatine calde, mentre Niko rumoreggia con la cannuccia dentro al maxi bicchiere di Coca.

«Non ci devi pensare al bianco.»

Niko me lo dice sempre. Niko ha sempre ragione. Non è un caso che sia il mio migliore amico. Lui è come Will Turner per Jack Sparrow. Ci salviamo la vita a vicenda almeno una volta al mese, perché a questo servono gli amici. Io i miei amici me li scelgo. Quello è il bello degli amici. Che te li scegli e ci stai bene, perché te li sei scelti proprio come li vuoi tu. Invece i compagni non te li scegli. Ti capitano, e spesso è una vera rottura di palle.

Niko è della B (io della D) e giochiamo nella stessa squadra di calcetto a scuola: i Pirati. Due fenomeni. Poi invece ti capita in classe quella sempre nervosa: Elettra. Già dal nome parte male.

Certa gente condanna i figli con il nome. Io mi chiamo Leo e mi sta bene. Sono stato fortunato: fa pensare a una persona bella, forte, che esce dalla boscaglia come un re con la sua criniera. Ruggisce. O, almeno nel mio caso, ci prova... Ognuno nel nome ha il suo destino, purtroppo. Prendi Elettra: che nome è? È come la corrente, ti dà la scossa già dal nome. Per questo poi è sempre nervosa.

E poi c'è il rompipalle professionista: Giacomo, detto Puzzo. Un altro nome che porta sfiga! Perché è lo stesso di Leopardi, che era gobbo, senza amici e pure poeta. Nessuno ci parla con Giacomo. Puzza. E nessuno ha il coraggio di dirglielo. Io, da quando sono innamorato di Beatrice, mi faccio la doccia tutti i giorni e la barba una volta al mese. E comunque sono cazzi suoi, in fondo, se non si lava. Ma almeno la madre glielo potrebbe dire. Invece no. Vabbè, ma io che colpa ne ho? Mica posso salvare il mondo. Per quello basta Spiderman.

Il rutto di Niko mi riporta sulla Terra e tra le risate gli dico:
«Hai ragione. Al bianco non ci devo pensare...»
Niko mi dà una pacca sulla spalla:
«Domani ti voglio dopato! Dobbiamo umiliarli quegli sfigati!»
Mi illumino d'immenso.
cosa sarebbe la scuola senza il torneo di calcio?

"Non so perché l'ho fatto, non so perché mi sono divertito a farlo e non so perché lo farò di nuovo": la mia filosofia di vita è riassunta in queste luminose parole di Bart Simpson, mio unico maestro e guida. Per esempio. Oggi la prof di storia e filo sta male. E vai! Verrà una supplente. Sarà la solita sfigata.

Non devi usare quella parola!

Rimbombano minacciose le parole della mamma, e io la uso invece. Quando ci vuole ci vuole! La supplente è per definizione un concentrato di sfiga cosmica.

Primo: perché sostituisce un professore, che di per sé è già uno sfigato, e quindi la supplente è una sfigata al quadrato.

Secondo: perché fa la supplente, che vita è lavorare per sostituire qualcuno che sta male? Cioè: non solo sei sfigata, ma porti anche sfiga agli altri. Sfiga al cubo.

La aspettavamo al varco la supplente, brutta come la morte e con il suo inappuntabile vestito viola, per riempirla di palline inzuppate di saliva, lanciate con precisione assassina dalle Bic svuotate.

Invece entra un ragazzo giovane. Giacca e camicia. Preciso. Occhi troppo neri per i miei gusti. Occhiali neri pure quelli, su un naso troppo lungo. Una borsa piena di libri. Ripete spesso che ama quello che studia. Ecco, ci mancava uno che ci crede. Sono i peggiori!

Non mi ricordo il nome. Lo ha detto ma stavo parlando con Silvia.

Silvia è una con cui parli di tutto. Io le voglio un sacco di bene e spesso la abbraccio. Ma lo faccio perché lei è contenta, e anche io. Però non è il mio tipo. Cioè, è una giusta: con lei puoi parlare di tutto e ti sa ascoltare e ti sa dare dei consigli. Però le manca quel tocco in più: la magia, l'incantesimo. Quello che ha Beatrice. Non ha i capelli rossi di Beatrice. Beatrice con uno sguardo ti fa sognare. Beatrice è rossa. Silvia è azzurra, come tutti gli amici veri. Il supplente invece è solo una macchiolina nera in una giornata irrimediabilmente bianca.

Sfiga, sfiga, sfighissima!

Ha i capelli neri. Gli occhi neri. La giacca nera. Insomma, assomiglia alla Morte Nera di *Guerre stellari*. Gli manca solo l'alito mortifero con cui uccidere alunni e colleghi. Non sa che fare perché non gli hanno detto niente e il cellulare della prof Argentieri è staccato. L'Argentieri ha un cellulare che nemmeno sa come si usa. Glielo hanno regalato i figli. Fa persino le foto. Ma lei non ci capisce niente. Le serve solo per il marito. Sì, perché il marito dell'Argentieri sta male. Ha un tumore, poveraccio! Un sacco di persone si beccano il tumore. Se ti prende al fegato non ci puoi fare niente. Ci vuole proprio sfiga. E il marito si è preso il tumore al fegato.

L'Argentieri non ce ne ha mai parlato, ce l'ha raccontato la Nicolosi, la prof di educazione fisica. Il marito è medico. E il marito dell'Argentieri fa la chemioterapia nell'ospedale del marito della Nicolosi. Cavolo, che sfiga l'Argentieri! È una noiosa e pignola fino alla morte, fissata con quello lì che diceva che non ci si bagna due volte nello stesso fiume, che poi a me sembra così ovvio... Però mi fa pena quando controlla il cellulare per vedere se il marito l'ha cercata.

Comunque il supplente cerca di fare lezione, ma come tutti i supplenti non ci riesce, perché giustamente nessuno se lo fila. Anzi, è l'occasione buona per fare casino e ridere alle spalle di un adulto fallito. A un certo punto alzo la mano e gli domando, tutto serio:

«Perché ha deciso di fare questo mestiere...»
Sottovoce aggiungo:
«... da sfigato?»
Ridono tutti. Lui non si scompone:
«È colpa di mio nonno.»
Questo è proprio fuori.
«Quando avevo dieci anni mio nonno mi ha raccontato una storia delle *Mille e una notte*.»
Silenzio.
«Ma adesso parliamo della Rinascita carolingia.»
La classe mi guarda. Sono io che ho cominciato e io devo continuare. Hanno ragione. Sono il loro eroe.
«Prof, scusi, ma la storia delle *Mille e*... insomma, quella?»
Qualcuno ride. Silenzio. Un silenzio western. Occhi suoi negli occhi miei.
«Credevo non ti interessasse la storia di come si diventa sfigati...»
Silenzio. Sto perdendo il duello. Non so cosa dire.
«No, infatti non ci interessa.»
In realtà m'interessa. Voglio saperlo perché uno sogna di fare lo sfigato, e poi ci si mette pure a realizzarlo, il sogno. E sembra addirittura contento. Gli altri mi guardano male. Nemmeno Silvia approva:
«La racconti, prof, ci interessa.»
Abbandonato anche da Silvia sprofondo nel bianco, mentre il prof comincia, con quei suoi occhi da invasato:
«Mohammed el-Magrebi abitava al Cairo, in una casetta dove c'era un giardino e dentro un fico e una fontana. Era povero. S'addormentò e sognò un uomo bagnato zuppo che si toglieva una moneta d'oro di bocca e gli diceva: "La tua fortuna è in Persia, a Isfahan... troverai un tesoro... vai!". Mohammed si svegliò e partì di corsa. Dopo mille pericoli arrivò a Isfahan. Qui, mentre cercava da mangiare, stanco morto, venne scambiato per un ladro.
Lo picchiarono con canne di bambù e quasi l'ammaz-

zarono. Fino a quando il capitano gli domandò: "Chi sei, da dove vieni, perché sei qua?". Quello gli disse la verità: "Ho sognato un uomo zuppo che mi ha ordinato di venire qua perché avrei trovato un tesoro. Bel tesoro, le bastonate!" Il capitano fece una risata e gli disse: "Scemo, e tu credi ai sogni? Eh... io ho sognato tre volte una povera casa del Cairo dove c'è un giardino e oltre il giardino un fico e oltre il fico una fontana e sotto la fontana un tesoro enorme! Ma io non mi sono mai mosso da qui, scemo! Vattene, credulone!". L'uomo tornò a casa e, scavando sotto la fontana del suo giardino, dissotterrò il tesoro!»

L'ha raccontata con le pause giuste, come un attore. Silenzio e pupille dilatate tra i compagni, sembrano quelle di Ciuffo quando si fa una canna: brutto segno. Ci mancava solo il supplente cantastorie. Accolgo la fine della favola con una risata.

«Tutto qui?»

Il supplente si alza in piedi, rimane in silenzio. Si siede sulla cattedra.

«Tutto qui. Mio nonno quel giorno mi spiegò che noi siamo diversi dagli animali, che fanno solo quello che la loro natura comanda. Noi invece siamo liberi. È il più grande dono che abbiamo ricevuto. Grazie alla libertà possiamo diventare qualcosa di diverso da quello che siamo. La libertà ci consente di sognare e i sogni sono il sangue della nostra vita, anche se spesso costano un lungo viaggio e qualche bastonata. "Non rinunciare mai ai tuoi sogni! Non avere paura di sognare, anche se gli altri ti ridono dietro" così mi disse mio nonno, "rinunceresti a essere te stesso." Ancora mi ricordo gli occhi brillanti con cui sottolineò le sue parole.»

Tutti rimangono in silenzio, ammirati, e mi dà fastidio che questo qua sia al centro dell'attenzione, quando sono io a dover essere al centro dell'attenzione nelle ore dei supplenti.

«Cosa c'entra questo con l'insegnare storia e filo, prof?»

Mi fissa.

«La storia è un pentolone pieno di progetti realizzati da uomini divenuti grandi per avere avuto il coraggio di trasformare i loro sogni in realtà, e la filosofia è il silenzio nel quale questi sogni nascono. Anche se a volte, purtroppo, i sogni di questi uomini erano incubi, soprattutto per chi ne ha fatto le spese. Quando non nascono dal silenzio, i sogni diventano incubi. La storia, insieme alla filosofia, all'arte, alla musica, alla letteratura, è il miglior modo per scoprire chi è l'uomo. Alessandro Magno, Augusto, Dante, Michelangelo... tutti uomini che hanno messo in gioco la loro libertà al meglio e, cambiando se stessi, hanno cambiato la storia. In questa classe magari ci sono il prossimo Dante o Michelangelo... magari potresti essere tu!»

Al prof brillano gli occhi mentre parla delle gesta di piccoli uomini divenuti grandi grazie al loro sogno, alla loro libertà. La cosa mi sconvolge, ma mi sconvolge ancora di più che io sto ascoltando questo fesso.

«Solo quando l'uomo ha fede in ciò che è al di sopra della sua portata – questo è un sogno – l'umanità fa quei passi in avanti che l'aiutano a credere in se stessa.»

Non è male come frase, ma mi sembra la tipica frase da prof giovane e sognatore. Voglio vedere tra un anno come sei ridotto, tu e i tuoi sogni! Per questo l'ho soprannominato il Sognatore. Bello avere dei sogni, bello crederci.

«Prof, a me sembrano tutte chiacchiere.»

Volevo capire se faceva sul serio o semplicemente si era costruito un mondo tutto suo per coprire la sua vita da sfigato. Il Sognatore mi ha guardato negli occhi e dopo una pausa di silenzio ha detto:

«Di cosa hai paura?»

Poi la campanella ha salvato i miei pensieri, divenuti improvvisamente muti e bianchi.

Non ho paura di nulla io. Faccio la prima liceo. Classico. Così hanno voluto i miei. Io non avevo idea. La mamma ha fatto il classico. Papà ha fatto il classico La nonna è il classico fatto persona. Solo il nostro cane non lo ha fatto.

Ti apre la mente, ti dà orizzonti, ti struttura il pensiero, ti rende elastico...

E ti rompe le palle dalla mattina alla sera.

È proprio così. Non c'è una ragione per fare una scuola del genere. Almeno, i prof non me l'hanno mai spiegata. Primo giorno della quarta ginnasio: presentazioni, introduzione all'edificio della scuola e conoscenza dei prof. Una specie di gita allo zoo: i prof, una specie protetta che speri si estingua definitivamente...

Poi qualche test di ingresso per verificare il livello di partenza di ciascuno. E dopo questa calorosa accoglienza... l'inferno: ridotti in ombre e polvere. Compiti, spiegazioni, interrogazioni come non ne avevo mai visti. Alle medie studiavo mezz'ora se andava bene. Poi calcio in qualunque posto assomigliasse a un campo, dal corridoio dentro casa al parcheggio sotto casa. Alla peggio, calcio alla Play.

Al ginnasio era un'altra cosa. Se volevi essere promosso dovevi studiare. Io non studiavo molto lo stesso, perché le cose le fai se ci credi. E mai un professore è riuscito a farmi credere che ne valeva la pena. E se non ci riesce uno che ci dedica la vita perché lo dovrei fare io?

Sono andato sul blog del Sognatore. Sì, il supplente di storia e filo ha un blog e sono curioso di vedere cosa ci scrive. I prof non hanno una vita reale fuori da scuola. Fuori da scuola non esistono. Così volevo vedere di che parlava uno che non poteva parlare di niente. E parlava di un film che aveva rivisto per l'ennesima volta: *L'attimo fuggente.* Diceva di condividere la stessa passione per l'insegnamento che aveva il protagonista del film. Diceva che quel film gli aveva mostrato cosa era venuto a fare su questa Terra. Continuava così, con una frase misteriosa, ma bella: "Strappare la bellezza ovunque essa sia e regalarla a chi mi sta accanto. Per questo sono al mondo".

Bisogna ammettere che il prof Sognatore è uno che le cose sa dirle. In due frasi si vede che lui ha capito la sua vita. Certo, ha trent'anni, e quindi è comprensibile che l'abbia capita. Ma non sempre qualcuno te lo dice con tanta chiarezza. Alla mia età ha maturato il suo sogno. Ha intravisto la meta e l'ha raggiunta.

Io ho sedici anni e non ho sogni particolari, se non quelli che faccio la notte e che non ricordo mai la mattina. Erika-con-la-kappa sostiene che i sogni dipendano dalla reincarnazione, da quello che siamo stati nella vita passata. Come quel calciatore che nella vita passata dice di essere stato un'anatra e forse gli ha giovato per la sua classe calcistica. Erika-con-la-kappa dice di essere stata un gelsomino. Per questo è sempre così profumata. Mi piace il profumo di Erika-con-la-kappa.

Io non credo di essermi mai reincarnato. Ma se dovessi scegliere credo che preferirei un animale a una pianta: un leone, una tigre, uno scorpione... Certo, quello di reincarnarsi è un problema, ma è troppo complicato per pensarci adesso e poi io non ho ricordi di quando ero un leone, anche se mi è rimasta la criniera e la forza del leone me la sento tutta nel sangue. Per questo devo essere stato un leone e per questo mi chiamo Leo. *Leo* in latino significa "leone". *Leo rugiens*: "leone ruggente".

Comunque faccio la prima liceo classico e ho superato quarta e quinta ginnasio quasi indenne. Primo anno, debito in greco e matematica. Secondo anno solo greco. Il greco è la verdura della scuola. Amara e utile solo al transito intestinale, cioè a fartela sotto il giorno dell'interrogazione...

Ma la colpa è stata della Massaroni. La prof più pignola e spietata della scuola. Ha una pelliccia di cane: sempre, solo, unicamente quella. Si veste in due modi: con la pelliccia di cane d'inverno, autunno e primavera. In estate... con la pelliccia di cane estiva. Ma come si fa a vivere così? Forse è stata un cane nella vita passata? Mi diverte assegnare le vite passate alle persone, perché aiuta a spiegare il loro carattere.

Beatrice, per esempio, deve essere stata una stella nella vita passata. Sì, perché le stelle hanno una luminosità accecante attorno: le vedi da lontano a milioni di anni luce. Sono un concentrato di materia rossa incandescente e luminosa. E Beatrice è così. La vedi a centinaia di metri di distanza e brilla con i suoi capelli rossi. Chissà se un giorno riuscirò a baciarla. A proposito, fra poco è il suo compleanno. Magari mi invita alla festa. Oggi pomeriggio vado alla fermata davanti a scuola, così la vedo. Beatrice è vino rosso. Mi ubriaca: io la amo.

Quando nel pomeriggio hai la partita del torneo non c'è tempo per nient'altro. Devi prepararti mentalmente e assaporare l'emozione con calma. Ogni gesto diventa importante e deve essere perfetto. Il momento che preferisco è indossare i calzettoni, che lentamente ti carezzano gli stinchi, come un'armatura antica, come i gambali di un cavaliere medievale.

Gli avversari di oggi sono di seconda B. Una classe di figli di papà. Li dobbiamo fare neri. Pirati contro Figoni. L'esito è certo, ma il numero di morti no. Ne faremo fuori il più possibile. L'erba sintetica del campo di terza generazione mi titilla ogni fibra del corpo. Ed eccoci brillare nel pomeriggio autunnale, ancora caldo, nella nostra maglia rossa con il teschio al centro e la scritta "Pirati" sotto. Ci siamo tutti: Niko, Ciuffo, Stanga e Spugna, che più che un portiere sembra una porta blindata. Abbiamo l'atteggiamento giusto. Questo fa la differenza. Quegli altri sono pieni di brufoli e più che i Figoni sembrano gli Sfigatoni.

Non hanno neanche il tempo di capire con chi devono vedersela e già li mettiamo sotto di due goal. Uno lo segna Niko e uno io. Due veri pirati dell'area di rigore. Uno sa sempre dove si trova l'altro, anche a occhi chiusi, schiena contro schiena come due fratelli. Mentre esulto dopo il mio tiro all'angolino velenoso e preciso mi accorgo di Silvia seduta a guardare la partita con altre compagne: Erika-con-la-kappa, Elettra, Simo, Eli, Fra e Barbie. Parlano fra di loro. Come sempre. Della partita non gliene importa niente alle ragazze. Solo Silvia applaude al mio goal. E io le mando un bacio, come fanno i grandi calciatori che ringraziano la curva. Un giorno ci sarà Beatrice a mandarmi quel bacio. Le dedicherò il mio goal più bello e correrò verso il pubblico per mostrare a tutti la mia maglietta con su scritto "I belong to Beatrice".

È morto il marito della Argentieri. Non la vedremo più: ha deciso di anticipare il suo ritiro. È distrutta. Certo, ha due figli che le stanno vicino, ma il marito era la ragione della sua vita, perché la storia e la filo non lo erano più da un pezzo. Il Sognatore rimane con noi: i supplenti decisamente portano sfiga... pur di trovare lavoro fanno morire i mariti delle povere insegnanti.

Comunque sia, dobbiamo andare al funerale del marito della Argentieri e io queste cose non so proprio come si fanno. Non so come vestirmi. Silvia, l'unica donna di cui mi fido nelle questioni di stile, mi dice che devo mettermi roba scura, tipo maglione blu e camicia. Anche i jeans vanno bene, visto che non ho pantaloni. In chiesa c'è un sacco di gente della scuola. Io mi siedo negli ultimi banchi perché non so neanche quando devo stare in piedi e quando devo stare seduto E poi se incontro la prof? Cosa si dice in queste situazioni? La parola *condoglianze* – si pronuncia così? – mi suona volgare. Meglio rimanere nell'oscurità, mi confondo nel gruppo: invisibile e insignificante.

Il funerale è celebrato dal sacerdote che è anche il mio prof di religione: Gandalf, con il suo corpo minuto, quasi tascabile, e un milione di rughe pacifiche e vivaci a causa delle quali tutti a scuola lo chiamano Gandalf, come lo stregone del *Signore degli Anelli*.

Al primo banco è seduta la prof Argentieri, nera fuori, bianca dentro. Si asciuga le lacrime con il fazzoletto, accanto a lei siedono i suoi figli. Un uomo sui quaranta e una donna un po' più giovane, che non è niente male. I figli dei prof sono sempre un mistero, perché non sai mai se i prof hanno dei figli normali. gli faranno lezione dalla mattina alla sera! Deve essere un disastro...

Però la Argentieri piange e questo mi dispiace. Alla fine – manco a farlo apposta – ci incrociamo, lei mi guarda e mi sembra si aspetti qualcosa. Io le sorrido. È l'unica cosa che mi viene. Lei abbassa lo sguardo ed esce dietro la bara di legno. Sono proprio un pirata. L'unica cosa che so fare di fronte a una donna a cui è morto il marito è sorridere. Mi sento in colpa. Forse potevo dire qualcosa. Ma in certe situazioni non so come comportarmi: che colpa ne ho?

Tornato a casa non mi va di fare niente. Vorrei stare da solo, ma non ce la faccio a sopportare il bianco. Attacco la musica e mi connetto a internet. Chatto con Niko sul funerale

Il marito dell'Argentieri chissà dov'è.

Si è reincarnato?

È solo cenere?

Soffre?

Spero che non soffra più, perché ha già sofferto tanto. Niko non lo sa. Lui pensa che qualcosa dopo ci sia. Ma non gli va per niente di reincarnarsi in una mosca. Chissà perché una mosca, poi? Lui mi spiega che è per via del fatto che tutti in casa gli dicono che rompe le palle come una mosca.

A proposito, cioè veramente non tanto a proposito: non mi devo dimenticare del compleanno di Beatrice. Anzi, ora le mando un sms: "Ciao Beatrice, sono Leo, quello di prima D con i capelli da folle. Si avvicina il tuo compleanno. Che farai di bello? A presto, Leo §:-)"

Non mi risponde. Ci sto male. Ho fatto la mia figuradi merda quotidiana. Chissà cosa pensa adesso Beatrice Il solito sfigato che ci prova con un messaggio. Quel silenzio mi entra nel cuore come un imbianchino che ne voglia rivestire le pareti di bianco, cancellando il nome di Beatrice e coprendolo di uno strato uniforme. Una tenaglia di dolore, di paura, di solitudine esce dal mio cellulare muto e mi strappa le interiora...

Prima un funerale, poi Beatrice che non risponde. Due saracinesche bianche si chiudono, e per di più su quel bianco sferragliante c'è scritto "Passo carrabile". Si chiude e ti devi spostare. Non ci devi pensare. E come si fa?

Chiamo Silvia. Stiamo due ore al telefono. Lei capisce che io volevo solo qualcuno vicino e me lo dice. Mi sa capire al volo, anche quando parlo di altre cose. Silvia deve essere stata un angelo nella vita precedente. Coglie tutto al volo e sembra che gli angeli siano così, altrimenti non avrebbero le ali. Almeno così dice la Suora (Anna, una nostra compagna di classe cattolicissima): "Ciascuno ha un angelo custode accanto. Basta che tu agli angeli parli di quello che ti succede e loro capiscono al volo le cause". Io non ci credo. Però credo che Silvia sia il mio angelo custode. Mi sento sollevato. Ha sollevato le due saracinesche. Ci diamo la buonanotte e mi addormento tranquillo, perché con lei posso sempre parlare. Speriamo ci sia sempre Silvia, anche quando saremo grandi. Però io amo Beatrice.

Prima di addormentarmi guardo il cellulare. Un messaggio! Sarà la risposta di Beatrice: sono salvo. "Se non riesci a dormire, io ci sono. S." Come vorrei che quella S fosse una B...

Datemi un motorino, anche un bat-cinquantino, e vi solleverò il mondo. Sì, perché quando vai davanti a scuola e c'è lì Beatrice con i suoi amici non esiste niente di meglio. Non ho il coraggio di fermarmi, potrebbe dirmi davanti a tutti che non vuole ricevere più i miei messaggi da sfigato. Così mi limito a passare lì con i capelli al vento che svolazzano sotto il casco e a lanciarle uno sguardo come una freccia di Cupido, che solo lei raccoglie. Questo basta a darmi una carica straordinaria. Sì, perché senza questa carica vado a finire sui siti porno e mi faccio una sega. Ma poi mi sento ancora più depresso e devo chiamare Silvia, e siccome non le posso dire la verità devo parlare d'altro. Ma si può parlare di queste cose con qualcuno?

Meno male che la stella dai raggi rossi si è voltata a guardarmi. Sa che sono io l'autore del messaggio e con il suo sguardo mi conferma che il mio stare al mondo ha ancora una ragione. Sono salvo!

Così volo sul mio motorino per strade intasate da un milione di macchine che è come non ci fossero. Tutta l'aria del mondo mi accarezza la faccia e io la bevo come si beve la libertà. Canto: "Sei il primo pensiero che al mattino mi sveglia" e quando mi risveglio davvero si è fatto buio.

Ho vagato a vuoto sul mio tappeto volante, senza

rendermi conto del trascorrere del tempo. Quando sei innamorato il tempo non deve esistere. Però mia madre esiste, non è innamorata di Beatrice ed è furiosa perché non sapeva dove fossi finito. Ma che posso farci? È l'amore. I momenti rossi della vita sono così: senza orologio. *Ma si può sapere dove hai la testa?* Gli adulti non si ricordano com'è essere innamorati. Che senso ha spiegare qualcosa a qualcuno che non la ricorda più? Che senso ha descrivere il rosso a un cieco? La mamma non capisce e per di più vuole che sia io a portare tutti i giorni Terminator a pisciare.

Terminator è il nostro bassotto pensionato. Mangia, striscia sulla sua pancia lunga un metro e mezzo e piscia un milione di litri. Io lo porto a fare i suoi versamenti solo quando non ho voglia di fare i compiti e così gli consento delle pisciate di due ore, ma con la scusa vado in giro a guardare le vetrine e le ragazze. Chissà perché gli uomini comprano i cani? Forse per dare un lavoro alle filippine che poi li portano a pisciare. Il parco è pieno di filippine e cani. E se la filippina non ce l'hai chi resta fregato sono io. Comunque gli animali sono solo comparse. Terminator sa pisciare e basta: vita da cani.

Non riesco a addormentarmi. Sono innamorato e, quando lo sei, il minimo che può accaderti è non dormire. Anche la notte più nera diventa rossa. Ti si affolla una tale quantità di cose nella testa che vorresti pensarle tutte insieme e il cuore non riesce a star buono. E poi è strano, perché ti sembra tutto bello. Tu fai la stessa vita tutti i giorni, con le stesse cose e la stessa noia. Poi ti innamori e quella stessa vita diventa grande e diversa. Sai che vivi nello stesso mondo di Beatrice e allora che importa se l'interrogazione ti va male, se la ruota del motorino si buca, se Terminator vuole pisciare, se si mette a piovere e non hai l'ombrello? Non ti importa, perché sai che quelle cose passano. Invece l'amore no. La tua stella rossa brilla sempre. Beatrice è lì, l'amore è dentro il tuo cuore ed è grande, ti fa sognare e nessuno può strappartelo via, perché è in un luogo dove nessuno può arrivare. Non so come descriverlo: spero che non passi mai.

Così mi sono addormentato, grazie a questa speranza nel cuore. Basta che ci sia Beatrice e la vita è ogni giorno nuova. È l'amore che rende la vita nuova. Quanto è vero quello che ho detto: devo ricordarmelo. Io mi dimentico un sacco di cose importanti dopo averle scoperte. Cioè, mi rendo conto che potrebbero servirmi in futuro, ma me le dimentico, come fanno i grandi. E questa è l'origine di almeno metà dei mali del mondo. *Ai miei tempi questi problemi nemmeno esistevano.* Appunto. Ai *tuoi* tempi!

Forse se scrivo quello che scopro da qualche parte non dimenticherò e non farò gli stessi errori. Ho una memoria pessima. Colpa dei miei genitori: DNA scadente. C'è solo una cosa che non scordo: domani partita di calcetto del torneo.

Non è vero. C'è un'altra cosa che non scordo: Beatrice non mi ha risposto al messaggio. Sono senza speranze. Copritemi di bianco come una mummia.

Gandalf è un uomo fatto di vento, hai l'impressione che possa volare via da un momento all'altro come un palloncino e ti chiedi come faccia a reggere orde di barbarici liceali. Lui però sorride sempre. Ha seminato i pavimenti di marmo di tutta la scuola con i suoi sorrisi. Quando lo incontri sorride, anche quando entra a scuola, a differenza degli altri prof. Sembra quasi che quel sorriso non sia suo.

Entra in classe, sorride e tace. Poi scrive una frase alla lavagna e tutti aspettiamo quel momento. Oggi è entrato e ha scritto "Lì dove è il tuo tesoro, là sarà anche il tuo cuore".

Parte il solito gioco

«Jovanotti!»

«No.»

«Max Pezzali?»

«No.»

«Elisa?»

«No. Più indietro...»

«Battisti?»

«No.»

«Ci sono!»

Urlo dal fondo allargando le braccia in un gesto pla teale che prelude al trionfo:

«Zio Paperone!»

La classe esplode in una risata.

Anche Gandalf sorride, tace. Ci fissa e poi dice: «Gesù Cristo.»

«C'è sempre la fregatura» intervengo io, «lei proprio non può farne a meno di Gesù.»

«Ti sembra che andrei in giro vestito così se potessi farne a meno?»

Sorride.

«Ma che significa la frase?»

Sorride.

«Secondo voi?»

«Come Gollum, che dice sempre: "Il mio tesssoro". Non pensa ad altro, il suo cuore è lì» spiega la Suora. Di solito è silenziosa, ma quando parla dice solo cose profonde.

«Non so chi sia questo Gollum, ma se lo dici tu mi fido.»

Gandalf non conosce Gollum, sembra assurdo, ma è così. Poi continua:

«Significa che quando ci sembra di non pensare a niente, in realtà noi pensiamo a quello che ci sta a cuore. L'amore è una specie di forza di gravità: invisibile e universale, come quella fisica. Inevitabilmente il nostro cuore, i nostri occhi, le nostre parole, senza che ce ne rendiamo conto vanno a finire lì, su ciò che amiamo, come la mela con la gravità.»

«E se non amiamo nulla?»

«Impossibile. Te la immagini la Terra senza gravità? O lo spazio senza gravità? Sarebbe un continuo autoscontro. Anche chi pensa di non amare nulla ama qualcosa. E i suoi pensieri vanno lì, senza che se ne renda conto. Il punto non è se amiamo o no, ma *cosa* amiamo. Gli uomini adorano sempre qualcosa: la bellezza, l'intelligenza, il denaro, la salute, Dio...»

«Come si fa ad amare Dio, che non si tocca?»

«Dio si tocca.»

«Dove?»

«Nel suo corpo, con l'eucarestia.»

«Ma prof, quello è un modo di dire... un'immagine...»

«E vi sembra che io possa giocarmi la vita per un modo di dire? E tu cosa ami, Leo, a cosa pensi quando non pensi a niente?»

Rimango in silenzio, perché mi vergogno di rispondere ad alta voce. Silvia mi fissa con gli occhi di chi si aspetta la risposta giusta durante un'interrogazione o la vuole suggerire. Io so la risposta, la vorrei urlare al mondo intero: Beatrice, la mia forza di gravità, il mio peso, il mio sangue, il mio rosso.

«Io penso al rosso.»

Qualcuno ride facendo finta di aver colto una battuta che non ho fatto.

Gandalf ha capito che non scherzo.

«E com'è il rosso?»

«Come i suoi capelli...»

Gli altri mi guardano come se mi fossi fatto una canna prima di entrare in classe. L'unica che sembra condividere è Silvia, che mi guarda complice.

Gandalf mi fissa negli occhi, anzi: dentro gli occhi. Sorride:

«Anche per me è così...»

«E com'è?»

«Come il suo sangue.›

Adesso siamo noi a guardare lui come uno che si è fatto una canna.

Va alla lavagna e scrive in silenzio: "Il mio amore è bianco e vermiglio".

E ricomincia il gioco.

Così sono le lezioni còn Gandalf: si costruiscono sul momento, e sembra che lui abbia sempre una frase pronta da tirare fuori dal suo libro magico...

Questa frase non la conosce nessuno e quando ci svela che si trova nella Bibbia nessuno ci crede, così ci becchiamo i compiti per casa pure di religione: leggere il *Cantico dei Cantici*.

Tanto i compiti di religione non li fa nessuno.

Nella vita serve solo ciò per cui ti danno un voto.

Non c'è niente di meglio che il seguente programma con Niko.

Pranzo leggero da Mac e gare di rutti in motorino. Sfida rilassante alla Play a casa sua: due ore su GTA. Avremo fatto a fette con la sega elettrica almeno una quindicina di poliziotti. Ti parte un'adrenalina che poi devi necessariamente scaricare sugli avversari di calcio: non hanno speranza.

Preparazione alla partita con doping fatto in casa: un frullatone di banana di cui solo la mamma di Niko conosce il segreto. La mamma di Niko è una nostra tifosa sfegatata e ci procura il doping alla banana.

Poi, finalmente, la partita. Oggi giochiamo contro i Fantacalcio. Sono tosti: è una squadra di terza. Li abbiamo battuti l'anno scorso, ma proprio per questo sono carichi, hanno voglia di vendetta. Si vede già dallo sguardo del Vandalo, il loro capitano. Non fa altro che fissarmi. Non ha idea di cosa lo aspetta.

Non c'è nessuno a fare il tifo per noi, oggi. Sarà perché domani abbiamo il compito di biologia. Io, previdente, mi sono portato avanti: ho deciso di ignorare il compito.

Riscaldiamo le mani arrugginite di Spugna con dei tiri rasoterra velenosi. Ciuffo oggi sembra sottotono.

Ci pensiamo Niko e io, imbottiti di frullato di banana e adrenalina inespressa da GTA. L'erba aspetta solo di essere accarezzata dalle nostre scarpe.

Partita bloccata sullo 0 a 0 per tutto il primo tempo. Il Vandalo non ha fatto altro che rompere le scatole a Niko. Lo marca a uomo. Non lo lascia respirare. Dobbiamo cambiare qualcosa, ma non so cosa. So solo che quando Niko se lo trova di nuovo addosso che gli morde le caviglie con il suo pressing da mastino napoletano e non gli lascia il tempo né di ragionare né di tirare, l'adrenalina da GTA prende il sopravvento e Niko entra a martello, da dietro, sulla caviglia del Vandalo, che è riuscito a sottrargli il pallone. Il Vandalo si accascia con un urlo disperato. Se non si è spezzato la gamba è un miracolo. Si contorce sul piede, tarantolato come Gollum. Tutti si stringono attorno. Io non faccio in tempo ad avvicinarmi che un pugno si stampa sul naso di Niko, che si piega in due e le mani gli si riempiono di sangue. Senza pensarci prendo la rincorsa verso il ragazzo che ha colpito Niko:

«Ma che cazzo fai, cerebroleso?»

Non è uno sguardo quello che ha negli occhi, ma una specie di bagliore demoniaco, che si scarica come una molla compressa contro di me. Lo spintone mi fa volare due metri in aria prima di atterrare sul sedere, togliendomi il respiro.

«Come mi hai chiamato?»

Sento il suo alito appestato penetrarmi nel naso. Non ho il coraggio di reagire. Mi massacrerebbe. Solo a questo punto, per fortuna, interviene l'arbitro che espelle sia Niko sia l'energumeno testa calda.

Senza Niko la partita si spegne. Il Vandalo si riprende e segna con una rabbia incontenibile.

1 a 0 per i Fantacalcio.

Quando torno negli spogliatoi, Niko se ne è andato

Il Vandalo all'uscita mi aspetta con i suoi barbari. Qui finisce male.

«Oggi ai tuo amico è andata bene. La prossima volta non esce vivo dal campo... vallo a consolare... checca!»

Il Pirata, con tutta la sua ciurma, è ridotto al silenzio della sconfitta e dell'umiliazione da un'orda di barbari incazzati.

Niko è venuto a scuola con due lividi neri sotto gli occhi. Il ragazzo che lo ha colpito sarà sospeso dal torneo.

«Quello me la paga. Tu non hai idea che gli faccio. Non hai idea...»

Niko è veramente nero, come i suoi lividi.

«Dài, Niko, lo hanno squalificato. La tua entrata sul Vandalo non è stata proprio delicata...»

Niko mi fulmina con un lampo degli occhi semichiusi:

«Gli dai pure ragione! Sei diventato una checca... ma dove le hai lasciate le palle, a casa?»

«Se ti fossi dato una calmata non avremmo perso ieri...»

«Ah, ora la colpa è mia... ma vaffanculo, Leo...»

Mi volta le spalle senza darmi il tempo di reagire. La giornata è iniziata nel migliore dei modi.

Il Sognatore è entrato in classe con un libriccino in mano. Un centinaio di pagine.

«Un libro che ti cambia la vita», così ha detto.

Non ho mai pensato che i libri dovessero cambiare un bel niente, tanto meno la vita. Cioè, te la cambiano perché sei costretto a leggerli e vorresti fare tutt'altro. Il Sognatore però è un sognatore e non può fare a meno di sognare. Ma cosa c'entra quel libro con la storia? Il Sognatore ha detto che per capire il periodo che dobbiamo studiare bisogna entrare nel cuore degli uomini dell'epoca e ha cominciato a leggere le pagine di un libro di Dante Alighieri. Non *La Divina Commedia*, che è una mattonata cosmica. Un libriccino piccolo, la storia d'amore di Dante. Non ci posso credere: Dante ha addirittura scritto un libro per Beatrice. Innamorato come me. Il libro si chiama *Vita Nova*, proprio come avevo scoperto da solo: l'amore rende tutto nuovo. E se fossi io il prossimo Dante? Se il Sognatore per una volta avesse ragione? Comunque Dante ha dedicato quel libro proprio all'incontro con Beatrice e al cambiamento della sua vita dopo quel momento. È incredibile: uno del Medioevo che prova le stesse cose che provo io! Forse io sono la reincarnazione di Dante?

Ma vallo a dire alla prof Rocca, che definisce il mio modo di scrivere *sciatto e contorto* e non mi dà mai più di cinque meno meno, che è il peggiore dei quattro mascherati... Quindi non sono la reincarnazione di Dante! Anche se neanche Dante lo si capisce adesso, quindi forse se quello che scrivo non si capisce è perché ho un futuro da Dante... Comunque sia, anche se io non sono Dante, Beatrice resta Beatrice e non posso fare a meno di pensare a lei e di parlare di lei, come dice Dante: "I' vo' con voi della mia donna dire, / non perch'io creda sua laude finire, / ma ragionar per isfogar la mente".

Dante ha sempre ragione! Però devo leggermelo il suo libro, magari copio qualche poesia per Beatrice e gliela dedico. Anzi, le scrivo un messaggio con un pezzo famosissimo del libro. A questo sicuramente risponderà. Non farò la figura del cretino. Capirà che faccio sul serio, come Dante. Non mi posso arrendere, un leone che si arrende non è un leone. Un pirata che si ritira non è un pirata. Lei capirà, perché queste cose le ha studiate l'anno scorso e se non ricorda mi chiederà... Beatrice fa la seconda quest'anno. Lei è bravissi ma. Le mando il messaggio: "Incipit *Vita Nova*...". Che figo in latino, dà quel tocco elegante. Il T9 non riesce a intuire il latino, ma Beatrice capirà.

Solo una cosa mi dà fastidio. Agli occhi di tutti, il Sognatore sta uscendo prepotentemente dalla sua condizione di sfigato-cantastorie-portajella. E purtroppo sotto sotto anche ai miei occhi, e non lo sopporto... bisogna fare qualcosa per ridimensionarlo: scoprire il suo punto debole e sferrare lì l'attacco del Pirata...

Il T9 è l'invenzione del XXI secolo. Ti risparmia un sacco di tempo e ti regala quattro risate, perché quando tu vuoi scrivere una parola lui ne intuisce un'altra, che a volte è quella opposta. Per esempio quando devo scrivere "scusa", la parola che viene fuori è "paura". È una coincidenza singolare, perché quando io devo chiedere scusa per qualcosa ho sempre una gran paura.

Mi piace il T9. Chissà se Dante per comporre tutte quelle rime aveva qualcosa come il T9. Ci sono persone che proprio non capisci da dove tirino fuori quello che sanno fare. Sono dei predestinati. Io non so fare ancora niente alla grande, ma sono fiducioso. La prof d'inglese dice *ha le capacità, ma non si applica*. Ecco: io ho capacità, posso fare tutto, ma ancora non ho deciso di fare sul serio, di applicarmi a qualcosa. Potrei essere Dante, Michelangelo, Einstein, Eminem o Jovanotti, ancora non lo so. Devo provare a scoprirlo.

A sentire il Sognatore, devo trovare il mio sogno e trasformarlo in un progetto. Gli devo chiedere come si fa a trovare il proprio sogno. Glielo chiederei, ma mi vergogno e gli darei ragione... e poi questa mania di avere un sogno quando ancora hai sedici anni non mi convince. Comunque stiano le cose, io sono certo che nel mio sogno c'è anche Beatrice.

A proposito, non ha risposto al mio messaggio, ci

sto male, credevo che almeno Dante la colpisse. Lo stomaco mi si stringe e il cuore diventa bianco. Come se Beatrice stessa volesse cancellarmi dalla faccia della Terra con il bianchetto. Mi sento un errore, un errore di ortografia. Una doppia dove non ci va, un "fà" con l'accento. Un colpo di bianchetto e io sparisco, come tutti gli errori. Il foglio resta bianco, pulito, e nessuno vede il dolore nascosto dietro quello strato bianco.

La poesia è una balla con le rime. Dante, fottiti!

Beatrice ha i capelli rossi. Beatrice ha gli occhi verdi. Beatrice ha. Al pomeriggio si ferma con i suoi amici davanti alla scuola. Beatrice non è fidanzata. Sono andato alla sua festa l'anno scorso: è stato un sogno. Ho passato il tempo a nascondermi dietro qualcosa o qualcuno per poterla fissare, per incidere nella mia memoria ogni suo gesto e movimento. Il mio cervello si è trasformato in una telecamera, perché il cuore potesse rivedere in qualsiasi momento il più bel film mai girato sulla faccia della Terra.

Non so dove ho trovato il coraggio di chiederle il numero. Infatti non l'ho trovato... me lo ha dato Silvia, che è sua amica, dopo le vacanze estive. Ma non credo che le abbia detto che me l'ha dato. Forse per questo non mi risponde. Forse non sa che sono io a scriverle. Lei sul mio cellulare è "Rossa". Stella rossa: sole, rubino, ciliegia. Però potrebbe rispondere, almeno per curiosità.

Ma sono o non sono stato un leone nella mia vita precedente? Per questo insisto. Mi acquatto nella foresta e, al momento opportuno, salto fuori dalla boscaglia e ghermisco la mia preda tagliandole ogni via di fuga, dopo averla costretta in una radura senza riparo. Farò così con Beatrice. Si troverà faccia a faccia con me e dovrà scegliermi per forza.

Siamo fatti l'uno per l'altra. Io lo so. Lei no. Non sa di amarmi. Non ancora.

Oggi ho parlato con Terminator. Sì, perché quando ho questioni importanti da risolvere so che è inutile parlarne con i grandi. O non ti ascoltano o ti dicono *non ci pensare, tanto poi passa.* Ma se te ne sto parlando forse è proprio perché non passa, no?! Oppure se ne escono con il magico *un giorno: un giorno capirai, un giorno, quando avrai dei figli capirai, un giorno avrai un lavoro e capirai.*

Io spero solo che quel giorno non arrivi mai, perché ti piomberà addosso tutto insieme: maturità, figli, lavoro... e mi sembra assurdo che per capire ti debbano colpire tutte queste cose, come una specie di fulmine. Non si potrebbe cominciare da adesso, poco a poco, senza aspettare quel giorno maledetto? Oggi. Oggi io voglio capire, non *un giorno.* Oggi. Adesso. Invece no: quel giorno ti travolgerà e sarà troppo tardi, perché tu, che ci volevi pensare per tempo, non hai trovato nessuno che si degnasse di risponderti. Hai solo trovato qualcuno che quel giorno te lo ha predetto come una profezia di morte e distruzione...

Per non parlare dei prof. Quando provi a chiedergli qualcosa seriamente ti rispondono *non adesso,* che significa "mai". I prof le cose te le fanno sapere subito, quando sono brutte: voti, interrogazioni, note, compiti... Quelle belle invece non te le dicono, altrimenti – sostengono – *ti adagi sugli allori*, che poi non credo siano così comodi. Per il resto non c'è altro da dirsi con loro. I miei? Non se ne parla. Mi vergogno solo a pensarlo. Loro sembra non abbiano mai avuto la mia età. E poi papà torna sempre stanco da lavoro e vuole vedere il calcio. Mamma? Con lei mi vergogno. Ormai ho la mia età, mica posso ancora parlare con la mamma! Esclusi i prof, eliminati i genitori, Niko che non mi parla dalla partita contro i Fantacalcio, chi mi resta? Terminator. Almeno lui rimane lì in silenzio ad ascoltarmi, soprattutto se dopo gli do i biscotti al gusto di gatto fritto.

«Vedi, Terminator, da quando il Sognatore ha parlato del sogno, questo fatto mi torna periodicamente in testa, come un prurito, ma più profondo. Tu cosa desideravi, Terminator, cosa volevi fare da grande? Tu puoi fare solo il cane: mangiare da cani, dormire da cani, pisciare da cani e morire da cani. Io invece no. Mi piace avere dei desideri grandi. Un grande sogno. Non so ancora qual è, ma mi piace sognare di avere un sogno. Starmene lì a letto in silenzio a sognare il mio sogno. Senza fare altro. Passare in rassegna i sogni e vedere quali mi piacciono. Chissà se lascerò il segno? Solo i sogni lasciano il segno.»

Terminator mi strattona, neanche lui sa concentrarsi, chissà cosa vuole. Continuiamo a camminare.

«Non mi interrompere! Mi piace avere sogni. Mi piace. Ma come faccio a trovare il mio sogno, Terminator? Tu te lo sei trovato già fatto. Io mica sono un cane. Al Sognatore sono bastati un nonno con le sue favole e un film. Forse dovrei andare più spesso al cinema, visto che il nonno non ce l'ho e la nonna tutte le volte che le parlo devo urlare, perché non sente e poi ha quell'odore di vecchio che non sopporto, mi fa starnutire. O forse dovrei leggere più libri. Il Sognatore dice che i nostri sogni sono nascosti nelle cose che incontriamo veramente, quelle che amiamo: un luogo, una pagina, un film, un quadro... i sogni ce li prestano i grandi creatori della bellezza.

Così dice il Sognatore. Non so bene cosa signifíchi. Ma so che mi piace. Ci devo provare. Mi devo fare consigliare, ma senza crederci troppo, perché io sono uno con i piedi per terra. Una vita senza sogni è un giardino senza fiori, ma una vita di sogni impossibili è un giardino di fiori finti... tu che ne pensi, Terminator?»

Terminator per tutta risposta si pianta contro un palo e piscia. La sua pisciata è proporzionale alla lunghezza dei miei discorsi.

«Grazie, Terminator, tu sì che mi capisci...»

Beatrice deve stare male. L'influenza gira, e mai una volta che me la prenda anche io... Non la vedo da due giorni. Senza il riflesso rosso dei suoi capelli le giornate mi sembrano più vuote. Diventano bianche come i giorni senza sole.

Torno a casa con Silvia. Le do uno strappo sul batcinquantino e lei mi chiede sempre di andare più piano. Donne. Parliamo a lungo e le chiedo se lei ha un sogno, come dice il Sognatore. Le racconto che Niko ha un sogno ben preciso. Lui dice che seguirà la strada di suo padre. Suo padre è dentista. Niko ha un sacco di soldi. Farà Odontoiatria e andrà a lavorare nello studio di suo padre. Dice che questo è il suo sogno Ma questo secondo me come sogno non vale. Perché si sa già tutto. Il sogno – se ho capito bene – deve avere una parte di mistero: qualcosa ancora da scoprire E Niko sa già tutto.

Io non ho ancora un sogno preciso, ma è proprio questo il bello. È talmente ignoto che mi emoziona il solo pensarci. Anche Silvia ha un sogno. Lei vuole diventare una pittrice. Silvia è molto brava a dipingere è il suo hobby preferito. Una volta mi ha anche regalato un quadro. Fa delle copie di dipinti famosi. È un bel quadro con una donna che si ripara dal sole con un ombrellino bianco. È un quadro speciale perché gli abi·

ti, il volto, i colori di quella donna sono così leggeri da confondersi con la luce che ci sbatte contro. È come se quella donna fosse fatta della luce da cui si ripara. Ed è l'unico caso in cui il bianco non mi fa paura. Silvia ha fregato il bianco in questo quadro. Mi piace. Dopo aver evitato almeno una quindicina di incidenti mortali con i miei freni bisognosi dell'intervento di un meccanico, arriviamo sotto casa di Silvia.

«I miei però non vogliono. Dicono che quello può essere soltanto un hobby e non certo il mio futuro, *è una strada difficile, solo pochissimi hanno successo e poi si rischia di fare la fame se non sfondi.*»

I genitori decisamente stanno al mondo per ricordarci le paure che noi non abbiamo. Sono loro ad avere paura. Io invece sono contento che Silvia abbia questo sogno. Quando ne parla le brillano gli occhi, come brillano gli occhi del Sognatore quando spiega. Come brillavano gli occhi di Alessandro Magno, di Michelangelo, di Dante... gli occhi rossosangue, pieni di vita... Secondo me quello di Silvia è il sogno giusto. Le chiedo di guardare i miei occhi e di dirmi quando brillano, così forse scopro il mio sogno mentre le parlo di qualcosa e magari sono distratto e non me ne accorgo. Lei ci sta.

«Quando vedrò il tuo sogno brillarti negli occhi te lo dirò.»

Le chiedo di farmi un altro quadro. Lei ci sta. Le si accendono gli occhi e mi sembra quasi che il suo sguardo mi riscaldi la pelle. Brillano azzurri. Quello è il suo sogno. Io ancora non ce l'ho, ma sento che è in arrivo. Come faccio a saperlo? Le mie occhiaie. Sì, ho delle borse sotto gli occhi che servono a portare i miei sogni. Quando troverò il mio le svuoterò e gli occhi brilleranno leggeri.

Accelero nel blu dell'orizzonte e mi sembra quasi di volare, senza freni e senza sogni...

Beatrice continua a non venire a scuola.
Non c'è neanche alla fermata al pomeriggio.
Le mie giornate sono vuote.

Sono bianche, come quelle di Dante quando non vide più Beatrice.

Non ho niente da dire, perché quando non c'è l'amore le parole finiscono.

Le pagine diventano bianche, manca inchiostro alla vita.

Ho parlato con il Sognatore, finalmente.

«Come si fa a trovare il proprio sogno? Però, prof, non mi prenda in giro.»

«Cercalo.»

«Come?»

«Poni le domande giuste.»

«Che vuol dire?»

«Leggi, guarda, interessati... tutto con grande slancio, passione e studio. Poni una domanda a ognuna delle cose che ti colpiscono e appassionano, chiedi a ciascuna perché ti appassiona. Lì è la risposta al tuo sogno. Non sono i nostri umori che contano, ma i nostri amori.»

Così mi ha detto il Sognatore. Come gli vengono in mente certe frasi lo sa solo lui. Devo trovare ciò che mi sta a cuore. Ma l'unico modo per scoprirlo è dedicarci tempo e sforzo e questo non mi convince...

Provo a seguire il metodo del Sognatore: devo partire da quello che già so. Mi sta a cuore la musica. Mi sta a cuore Niko. Mi sta a cuore Beatrice, mi sta a cuore Silvia, mi sta a cuore il mio motorino, mi sta a cuore il mio sogno che non conosco. Mi stanno a cuore papà e mamma quando non rompono. Mi sta a cuore... forse basta... Sono troppo poche queste cose, ce ne vogliono di più. Devo mettermi d'impegno a scoprirle e a ognuna porre le domande giuste.

Mi sono chiesto perché Silvia mi sta a cuore. Mi sono detto che le voglio bene, voglio che realizzi il suo sogno, quando sto con lei mi scende la pace nello stomaco, come quando mamma mi prendeva per mano nella folla del supermercato. Perché Niko? Mi sono risposto che sto bene con lui. Non devo spiegare niente. Non mi sento giudicato. A proposito, devo fare qualcosa, non si può andare avanti con questo silenzio, fra poco abbiamo un'altra partita e se noi due non giriamo bene i Pirati sono al naufragio...

Poi ho interrogato la mia musica e mi ha risposto che mi sento libero con lei. L'ho chiesto al mio batcinquantino senza freni e mi ha dato la stessa risposta. Ho alcuni pezzi del puzzle: mi sta a cuore l'affetto delle persone, mi sta a cuore la libertà. Il mio sogno ha questi ingredienti. Almeno alcuni li ho scoperti. Ma sono ancora pochi.

Perché mi sta a cuore Beatrice? Questo è più difficile. Non ho trovato ancora una risposta. In lei c'è qualcosa di misterioso. Qualcosa in più che non riesco a capire. Un mistero rosso come il mistero del sole che sorge e fa la notte più buia proprio prima dell'alba. Lei è il mio sogno e basta, per questo non lo si può spiegare. Roba da non dormirci. Mi guardo un film dell'orrore. Roba da non dormirci. Notte in bianco al quadrato.

Questo era l'unico compito di greco che mi divertiva al ginnasio. Di alcune parole prese dalle versioni dovevamo scrivere sul quaderno il significato e una parola italiana derivata che ci aiutasse a ricordare il termine in greco. Così ho imparato bene due parole.

Leukos: bianco. Da questa deriva la parola italiana "luce".

Aima: sangue. Da questa deriva la parola italiana "ematoma" (grumo di sangue).

Se metti insieme quelle due parole paurose, ne viene fuori una ancora più terribile: *leucemia*. Così si chiama il tumore che colpisce il sangue. Un nome che deriva dal greco (tutti i nomi delle malattie vengono dal greco...) e significa "sangue bianco".

Lo sapevo che il bianco è una fregatura. Come può il sangue essere bianco?

Il sangue è rosso e basta.

E le lacrime sono salate e basta.

Silvia me lo ha detto in lacrime.

«Beatrice ha la leucemia.»

E le sue lacrime sono diventate mie.

Ecco perché non veniva a scuola. Ecco perché era sparita. Come il marito dell'Argentieri. Anzi, peggio: un tumore al sangue. Leucemia. Forse però si può guarire. Senza Beatrice io sono finito, anche il mio sangue diventa bianco.

Quella dei sogni è una balla colossale. Lo sapevo. L'ho sempre saputo. Perché poi arriva il dolore e niente ha più senso. Perché tu costruisci, costruisci, costruisci e poi all'improvviso qualcuno o qualcosa spazza via tutto. Allora a che serve? Nel mio sogno c'era Beatrice e Beatrice era la parte misteriosa del sogno. La chiave che apriva la porta. E adesso arriva questa cosa che me la vuole portare via. Se lei sparisce, sparisce il sogno. E la notte resta nel suo buio più buio, perché non ci sarà nessuna alba.

Ma perché cazzo esiste una malattia come questa che fa diventare bianco il sangue? Sognatore, sei un bugiardo della peggior specie, di quelli che credono alle menzogne che dicono! Domani taglio le ruote della tua bici da sfigato. Adesso ho fame. Sms: "Niko, ho bisogno di vederti".

Da Mac di pomeriggio: la cosa più triste della galassia. Ci sono solo l'odore di Mac e gli sfigati delle medie. Ma chissenefrega, va bene pure questo. Non ho mai parlato a Niko di Beatrice. Beatrice è sempre stata un mio segreto. Un'isola dei Caraibi con il mare trasparente in cui rifugiarmi da solo. Con Niko parliamo delle fighe, delle tipe... Beatrice non è una tipa, e anche se è figa non appartiene neppure a quella categoria. Non appartiene alla categoria "radiografia", cioè quelle di cui consideri misure e parti vincenti... No, Beatrice non si tocca, neanche con le parole. Nemmeno questa volta parlo di Beatrice e mi tengo tutta la rabbia e il dolore dentro. Niko arriva e si siede, scocciato.

«Cosa c'è?»

«Dài, smettiamola di fare i fessi. I Pirati non litigano come le femminucce...»

Niko non aspettava altro. Sorride e sembra che gli occhi gli si sciolgano. Mi dà uno spintone.

«Siamo proprio due stronzi...»

«Parla per te...»

Ridiamo. Mentre sbevazziamo due Coche giganti e Niko modula qualche rutto, parliamo. Parliamo. Riprendiamo esattamente da dove ci eravamo interrotti. Come solo i veri amici sanno fare.

«Dobbiamo suonare, è un po' che non ci scateniamo.»

«Già, e poi dobbiamo preparare la prossima partita.»

«Contro chi giochiamo?»

«Con quei morti di sonno di prima A.»

«Gli X-Men?»

«Sì.»

«Una passeggiata...»

«Niko...»

Mi fissa.

«Tu hai paura della morte?»

«Che cazzo c'entra la morte quando hai davanti una Coca da Mac? Tu sei diventato del tutto scemo, Leo. Secondo me sono i capelli, dovresti tagliarteli: non ti arriva più aria al cervello...»

Scoppio a ridere, ma in realtà sono di ghiaccio.

«Cosa ti ho detto mille volte?»

Imito la sua voce metallica.

«Tu al bianco non ci devi pensare!»

«Dài, andiamo a rimorchiare le tipe in centro...»

«No, io devo tornare a casa... a studiare...»

Niko ride.

Io faccio finta di ridere.

«A domani.»

«A domani. Li trituriamo!»

Non è facile essere deboli.

Ho saputo da Silvia che Beatrice è in ospedale. Solo Silvia ha il diritto di dirmi certe cose. Beatrice ha bisogno di sangue. Trasfusioni di sangue del suo stesso gruppo. Bisogna combattere il sangue bianco e sperare che si riformi del sangue puro, nuovo, rosso. Combattere il sangue bianco può salvarla. Io non so quale sia il suo gruppo sanguigno, ma so che ho tanto di quel sangue rosso in corpo che glielo darei tutto pur di vederlo trasformarsi nel rosso dei suoi capelli. Capelli rossosangue.

Volo sul mio bat-cinquantino senza dire niente a nessuno. Tutto è diventato bianco: la strada, il cielo, i volti delle persone, la facciata dell'ospedale. Entro e sono sommerso da un odore di disinfettante che mi ricorda lo studio del dentista. Cerco la sua camera. Non chiedo dove sia, perché ho una bussola nel cuore che punta sempre dritta verso il suo Nord: Beatrice. Infatti al terzo tentativo la trovo. Mi avvicino e la guardo da lontano: dorme. Come una principessa addormentata. Vicino c'è una signora dai capelli rossi: forse la madre. Ha gli occhi chiusi anche lei. Non ho il coraggio di avvicinarmi. Ho paura. Non so neanche cosa dire in queste circostanze. Silvia forse saprebbe cosa fare, ma non posso sempre chiamarla...

Poi mi ricordo del sogno e che Beatrice è il mio sogno. Allora vado alla reception dell'ospedale e dico che sono lì per donare il mio sangue rosso per sostituire quello bianco di Beatrice. L'infermiera di turno mi guarda stranita.

«Senti, qui non abbiamo tempo da perdere.»

La guardo male: «Neanche io».

Si rende conto che faccio sul serio.

«Quanti anni hai?», con la faccia schifata.

Con la faccia schifata: «Sedici».

Mi dice che serve il permesso dei genitori per i minorenni. Questa è bella! Uno vuole donare il sangue per una persona che sta male e deve chiedere il permesso. Uno vuole costruire un sogno, o salvarlo, e deve chiedere il permesso. Che cazzo di mondo! Ti spingono a sognare e poi ti impediscono di farlo quando hai appena cominciato: sono tutti invidiosi. E allora tirano fuori che per sognare devi chiedere il permesso e per non chiederlo devi essere maggiorenne. Me ne sono tornato a casa. Mi sembrava di galleggiare in un mare bianco, senza porti, senza approdi. Non ho concluso niente. Non ho parlato con Beatrice, né le ho donato il mio sangue. Chiamo Silvia, altrimenti finisce male.

«Come va?» le chiedo.

«Insomma, e tu?»

«Male, non mi hanno fatto donare il sangue per Beatrice!»

«E come mai?»

«Se sei minorenne ci vuole il permesso.»

«Mi sembra normale, può essere pericoloso...»

«Quando c'è l'amore tutto è possibile! Non c'è bisogno di permessi!»

«Già...» risponde Silvia, e rimane in silenzio.

«Cosa c'è? Mi sembri strana oggi...»

Lei ripete meccanicamente la mia penultima frase, come se non mi stesse ascoltando:

«Quando c'è l'amore tutto è possibile...»

Non riesco a concentrarmi su niente. Il mio sogno si sta sgretolando come un castello di sabbia quando sale la marea e lo riduce a macerie alte solo pochi centimetri. Il mio sogno è diventato bianco, perché Beatrice ha un tumore. Il Sognatore dice che devo porre le domande giuste per scoprire il mio sogno. Allora proviamo con questa cazzo di leucemia! Che cazzo ci stai a fare tu tra la mia vita e quella di Beatrice? Perché avveleni il sangue di una vita così piena che sta cominciando appena? Non c'è risposta a questa domanda. È così e basta. E se è così, sognare non serve. O almeno: meglio non farlo, perché fa più male. Meglio avere i sogni alla Niko, quelli sicuri, quelli che ti compri. Mi vado a comprare le scarpe nuove, le Dreams, almeno il sogno lo porto ai piedi e lo calpesto.

Io i piedi li tengo per terra e il sogno lo calpesto. Il Sognatore dice che i desideri hanno a che fare con le stelle: *de* più *sidera*, che vuol dire "stelle" in latino. Tutte balle! L'unico modo per vedere le stelle non è desiderare, ma farsi male.

«Dove cazzo sei?»

La voce di Niko che esce tuonando dal cellulare mi risveglia dal mio letargo. Ci metto un nanosecondo a realizzare che sono le cinque e fra mezz'ora abbiamo la partita contro gli X-Men.

«Ho dovuto mettere a posto la stanza, altrimenti mamma non mi faceva uscire...»

Niko non mi crede neanche per un attimo.

«Muovi il culo, dobbiamo riprenderci il primo posto nel girone.. »

Chiude.

Per la prima volta in vita mia ho dimenticato una partita.

Non so cosa mi stia succedendo. Devo essere malato. Mi provo la febbre, ma sto bene.

Mi unisco all'urlo dei Pirati prima di ogni partita:

«In culo alla balena!»

Umiliamo gli X-Men 7 a 2, segno 3 goal.

Ma dentro di me qualcosa mi impedisce di gioire davvero.

Io la vedo quella balena bianca. Enorme. E ho il terrore che mi divori davvero.

Il Sognatore si è inventato un'altra delle sue lezioni fuori programma: sono le migliori!

Comincia leggendo un passo di un libro che lo ha colpito, che sta studiando o approfondendo per passione personale. Lo legge con gli occhi che gli brillano, come uno che non può fare a meno di condividere la sua gioia col primo che passa per la strada. Come quando io ripeto "Beatrice" ad alta voce senza rendermene conto o voglio dire a tutti che un'interrogazione mi è andata bene, il che è abbastanza raro...

Questa volta ci ha letto un racconto del libro *Momenti fatali*, in cui si parla di tre assedi e tre saccheggi.

«Roma, Alessandria e Bisanzio. Tre città zeppe di tesori, di bellezza, di arte. Tre città con biblioteche piene di libri, che custodivano i segreti di secoli e secoli di letteratura e ricerche. Edifici affollati da rotoli e codici ricoperti dei sogni di tutti gli uomini, che potevano servire per i sogni di altrettanti e più uomini a venire. Ma quei sogni sono andati in fumo sotto i colpi fiammeggianti dei barbari, degli arabi, dei turchi. Cancellavano con un gesto infuocato piani e piani di carte contenenti i segreti della vita. Bruciavano lo spirito e le sue ali. Gli impedivano di volare come aveva fatto per secoli, liberandosi dalle prigioni della storia. La carta dei libri bruciava come in quel meraviglioso romanzo di Bradbury che dovreste leggere...»

Queste le parole del Sognatore, non so cosa significhino esattamente ma suonano bene, anche se non ho mai sentito parlare di quel tale Bradbury.

Alla fine del suo discorso appassionato il Sognatore ci ha chiesto: "Perché?". Nessuno di noi ha saputo rispondere. Ha detto di pensarci su e di scriverci un compito per casa. Il Sognatore è un pazzo. Crede che siamo capaci di fare pensieri simili. Noi dobbiamo risolvere cose molto più semplici e concrete. Immediate e utili: dove copi la versione di greco, come fai a uscire con quella ragazza carina, come ti fai dare i soldi per la ricarica dopo due giorni avendo speso tutto in sms da cinque o sei parole l'uno... cose così. Uno non c'è abituato a risolvere certi quesiti che ti pone il Sognatore. Non hai proprio la testa pronta per certe cose. Non sai neanche da dove tirarle fuori le risposte.

Perché queste domande che fa lui non sono di quelle che trovi su Google se digiti: Roma, Alessandria, Bisanzio, incendio, sogni, cause, libri... Non viene fuori nulla. Perché non c'è su internet un testo che unisca parole così sconnesse. Bisogna trovarla chissà dove la connessione. Per questo è così difficile.

Non so se farò questo compito. È veramente difficile, ma ha qualcosa di misterioso, perché per la prima volta la risposta non è da qualche parte dove puoi copiarla. La risposta la devi trovare. E forse c'è in gioco di più. Ci devo provare. Odio il Sognatore, perché mi frega sempre, mi fa venire la curiosità.

L'ignoranza è la cosa più comoda che io conosca dopo il divano del soggiorno di casa mia.

Ho provato a parlare con mia madre del sangue che vorrei donare a Beatrice. Non capisce, le sembra una storia di vampiri, come quelle che vanno di moda adesso. Glielo spiego. Mi dice che poi ci penseremo, le sembra una bella idea, ma sicuramente molti altri ci avranno già pensato. Io insisto.

Parlane con tuo padre.

Frase magica dello scaricabarile dall'origine del mondo. È quello che farò. Chiamo Niko e vado a trovarlo. Dovevo fare il compito del Sognatore ma non mi veniva in mente niente, magari la musica mi aiuta. A volte nella musica si trovano le risposte che cerchi, quasi senza cercarle. E anche se non le trovi, almeno trovi quegli stessi sentimenti che stai provando. Qualcun altro li ha provati. Non ti senti solo. Tristezza, solitudine, rabbia. Quasi tutte le canzoni che mi piacciono ne parlano. Suonandole è come se affrontassi quei mostri, soprattutto quando non riesci neanche a dare loro un nome.

Poi, però, finita la musica, quelle cose restano lì. Certo, magari adesso le sai riconoscere meglio, ma nessuno le ha magicamente spazzate via. Forse dovrei ubriacarmi per farle sparire. Niko dice che funziona. Beatrice continua a stare male e prima di ubriacarmi io voglio donarle il mio sangue: non vorrei che poi l'alcol le facesse male, perché lei è pura. Devo parlare con papà.

Subito.

Papà non è tornato per cena. Quando è rientrato era così tardi che non ho avuto il coraggio di chiedergli nulla. Non era il momento opportuno. Mi avrebbe fulminato e non potevo bruciarmi la mia unica possibilità. Io sono ancora sveglio perché sto cercando di scrivere il compito per il Sognatore. Non mi è mai fregato niente dei compiti difficili. Quando non mi riescono vado a dormire tranquillo e li copio il giorno successivo. Non so perché in questo caso c'è in gioco qualcosa di più, che mi spinge ad accettare la sfida. Come se, gettando la spugna, tradissi il Sognatore o me stesso.

Sono davanti allo schermo del computer. Scrivo le domande del titolo: "Perché Roma, Alessandria e Bisanzio sono state bruciate dai loro conquistatori? Cosa animava barbari, arabi, turchi? Cosa li rendeva simili pur essendo così diversi?". Bianco. Non mi viene niente. Bianco come questo maledetto schermo. Bianco come il sangue di Beatrice. Chiamo Silvia. Non risponde. Silvia lascia sempre il cellulare acceso perché vuole che io possa chiamarla in qualsiasi momento se ho bisogno di aiuto. Silvia è il mio angelo custode. L'unica differenza è che lei la notte dorme, e a volte non sente il cellulare vibrare, come adesso. Devo risolvere da solo.

È tardi. Fuori c'è il nero della notte e la mia mente è bianca. Cerco di trasformarmi in uno di quei saccheggiatori e mi chiedo cosa voglio ottenere dando fuoco ai libri che contengono. Mi aggiro per le strade polverose di Roma, di Alessandria e di Bisanzio, che poi ho scoperto essere diventata Costantinopoli e poi Istanbul, e in mezzo agli strepiti e alle urla della gente do fuoco a migliaia di libri. Mi sbarazzo di tutti quei sogni di carta e li trasformo in cenere. Li trasformo in fumo bianco. Ecco la risposta. Incenerire i sogni. Bruciare i sogni è il segreto per abbattere definitivamente i propri nemici, perché non trovino più la forza di rialzarsi e ricominciare. Non sognino le cose belle delle loro città, delle vite altrui, non sognino i racconti di altri, così pieni di libertà e di amore. Non sognino più nulla. Se non permetti alle persone di sognare, le rendi schiave. E io, saccheggiatore di città, adesso ho bisogno solo di schiavi, per regnare tranquillo e indisturbato. E così, non rimanga parola su parola. Ma solo bianca cenere dei sogni antichi. Questa è la distruzione più crudele: rubare i sogni alla gente. Lager pieni di uomini bruciati con i loro sogni. Nazisti ladri di sogni. Quando non hai sogni li rubi agli altri, perché non li abbiano neanche loro. L'invidia ti brucia il cuore e quel fuoco divora tutto...

Quando finisco di scrivere fuori è buio come prima, e dal nero della notte io ho rubato i segni che adesso riempiono lo schermo bianco. Ho scoperto qualcosa: studiando, scrivendo. È la prima volta, ma non prenderò l'abitudine... E naturalmente l'inchiostro nero della stampante è finito, non mi resta che stamparla a colori.

Rosso.

Il Sognatore gira per i banchi a controllare l'esito della ricerca. Tutti sembrano averla svolta. A turno, chi vuole è chiamato a leggerla ad alta voce. Sembra di immergersi nella polvere e nel fuoco di secoli fa, eppure siamo in classe. Tutti hanno scritto qualcosa di cui sono orgogliosi, almeno quelli che hanno il coraggio di leggere. Io naturalmente non sono tra loro, leggere ad alta voce è come cantare. Suona la campanella. Ci affrettiamo a consegnare i nostri compiti, ma il Sognatore non li vuole. Incredibile! Preferisce che conserviamo la risposta che abbiamo trovato. E la custodiamo per noi stessi.

Il Sognatore è proprio un pazzo. Ti dà i compiti e poi non ti mette il voto. Che razza di professore è uno che non ti mette il voto? Certo però che è riuscito a far svolgere a tutti la ricerca. Anche a me, nel cuore nero della notte. Allora forse non è necessario il voto per costringerti a studiare. Il Sognatore rimane seduto benché la classe si stia svuotando. Sorride e gli brillano gli occhi. Ha fiducia in noi. Ci crede capaci di fare cose belle. Forse non è del tutto un fallito.

Non lascerò che i saccheggiatori brucino i miei sogni e li riducano in cenere. Non lo permetterò a nessuno. Rischio di non rialzarmi più. Invece Beatrice ha bisogno di me e non di un cumulo lagnante di macerie. Non voglio dimenticarmi quello che ho scoperto.

Non voglio perché è troppo importante, ma ho la memoria scadente. Devo scrivere tutto, altrimenti dimentico. Forse l'unico modo di salvarmi dalla mia memoria è diventare scrittore.

Ne voglio parlare con Silvia, è l'unica che non mi prenderebbe in giro. Come se avesse ascoltato i miei pensieri si avvicina, mi si stringe al braccio e appoggia la testa sulla mia spalla.

«Cosa volevi ieri? Ho visto la chiamata solo stamattina.»

«Volevo una mano per la ricerca.»

Silvia solleva la testa e mi fissa con un'espressione triste:

«E certo. Cos'altro?»

Si stacca e si allontana.

La fisso andar via con la sensazione di non aver capito, come quando papà mi dice qualcosa e ne intende un'altra. A proposito, devo parlare con papà prima che me ne dimentichi...

Se c'è una cosa che mi fa impazzire sono gli "sfidoni" con Niko. Gli sfidoni sono prove pericolose: da adrenalina che accelera il sangue che quasi lo senti galoppare. Uno degli sfidoni che preferisco è quello delle frenate. Si va in motorino a tutta velocità e si frena solo alla fine, chi si avvicina di più alla macchina che sta davanti senza sbattere vince lo sfidone. Così mi sono giocato i freni del mio bat-cinquantino. In questo sfidone Niko non può fare nulla contro di me, perché alla fine se la fa sotto, io invece freno sempre un attimo dopo che l'istinto di sopravvivenza mi ha detto di frenare. Basta un secondo, ma fa la differenza. Questo è il segreto per vincere lo sfidone: fare quello che dovresti un secondo dopo.

Quando abbiamo visto la Porsche Carrera nera fiammante al semaforo ci siamo guardati e abbiamo lanciato i motorini alla massima velocità. Uno accanto all'altro. Solo l'aria cerca di frenarci, senza successo. L'asfalto rumoreggia sotto le ruote che mordono il bitume sbriciolato. Il culo della Porsche si avvicina sempre di più, siamo uno a fianco all'altro, al massimo.

Uno sguardo a Niko, l'ultimo prima della fase finale. Non posso perdere lo sfidone. Solo dieci metri ci separano dal nero culo lucido della Porsche, Niko frena. Io aspetto un istante, il tempo di dire "uno". Se non freni sei morto. E io non freno: un secondo che sembra un secolo. Il sangue ti ronza nelle orecchie. E la mia ruota anteriore bacia, come una mamma il bimbo appena nato, il parafango della Porsche. Mi giro verso Niko con i capelli scomposti che mi coprono gli occhi, una scarica di adrenalina che mi offusca la vista. Sorrido come si fa nei film dopo un duello vinto. Niko mi deve l'ennesimo gelato. Non c'è sfidone senza gelato.

«Come fai? Le mani vanno sui freni anche se non voglio: è più forte di me.»

Lecco il mio gelato fragola e panna.

«La paura è bianca. Il coraggio è rosso. Quando vedi il bianco tu devi concentrarti sul rosso e contare fino a uno...»

Niko mi guarda come si guardano i malati di mente che credono di fare discorsi sensati.

«Domani abbiamo la partita. Dobbiamo riprenderci il primo posto. Basta vincere e sperare che la squadra del Vandalo pareggi.»

«Il Vandalo... gliela faremo pagare...»

Niko mi dà una manata sulla spalla che mi spinge il naso dentro al gelato.

«Così mi piaci.»

Scappa mentre lo inseguo come uno di quei clown con la faccia bianca e il naso rosso..

Entro con papà all'ospedale dove è ricoverata Beatrice. Controllano il mio gruppo sanguigno. È lo stesso di Beatrice. Ne ero sicuro, abbiamo lo stesso sangue, viviamo dello stesso sangue. Ci sono cose che uno sente. La mia vita è legata a quella di Beatrice, nel sangue. Mi chiedono se faccio uso di droghe. Rispondo di no. E rispondo di no perché c'è papà presente, che mi incenerirebbe e proclamerebbe la sua minaccia preferita: "Ti riduco nella polvere della tua ombra". Bisogna dargli atto che come frase non è male.

Poi però quando sono con l'infermiera le dico che un mese fa mi sono fatto una canna. Ma solo una, era per provare. Eravamo in gruppo. Non ce l'ho fatta a fare la figura del cacasotto. E poi era per provare. L'infermiera mi tranquillizza. Per una non importa. Ma se fossi un consumatore abituale non potrei fare la donazione. Il mio sangue non servirebbe a niente.

Chiuso il capitolo canne. Se Beatrice dovesse averne ancora bisogno, il mio sangue deve essere perfetto, puro, immacolato. Rosso come l'amore che ho per lei.

Me ne prelevano un bel po'. È molto più scuro di quanto pensassi. È rossoviola ed è denso, come il mio amore per Beatrice. La vista del sangue che esce dal mio braccio mi provoca un capogiro e per un istante credo di svenire, ma resisto. Il sangue, come l'amore, fa perdere la testa, eppure ti dà anche la forza per superare i tuoi limiti... Mi sembra di aver dato la vita per Beatrice, sono quasi morto e pallido come un vampiro al contrario: invece di succhiare il sangue, io per vivere l'ho dato.

Papà mi porta a far colazione.

«Sei pallido come la schiuma del tuo cappuccino. Ti prendo un altro cornetto. Come lo vuoi?»

«Che domande... al cioccolato.»

Papà va al bancone e prende un cornetto grondante nutella. Si siede di nuovo di fronte a me e sorride, come sa fare solo al mattino. La sera è troppo stanco, dopo la giornata di lavoro.

«Ti fa male?» mi chiede indicando il braccio dal quale hanno prelevato il sangue.

«Brucia un po', ma va bene.»

«Raccontami di questa ragazza, come si chiama... Angelica?»

L'ho sempre detto che in famiglia la memoria non è proprio la qualità principale.

«Beatrice, papà, si chiama Beatrice, come quella di Dante.»

«È una ragazza speciale per te?»

Non voglio parlargli di Beatrice e svio la domanda.

«Per te chi è speciale?»

«La mamma.»

«Quando l'hai capito?»

«Quando l'ho vista per la prima volta, durante una crociera che i miei genitori mi avevano regalato come premio per la maturità. Aveva un modo di muoversi, di piegare la testa quando sorrideva, di aggiustarsi i capelli lunghi che le coprivano gli occhi...»

Papà sembra sognare, con lo sguardo perso in un passato che gli scorre davanti come l'inizio di un film romantico, di quelli che io non sopporto.

«E poi?»

«Poi mi sono avvicinato e le ho detto: "Anche lei su questa nave, signorina?", rendendomi conto solo al punto interrogativo che la frase non aveva alcun senso, era anzi piuttosto ridicola, dato che la vedevo per la prima volta.»

«E lei?»

«Ha sorriso e ha risposto guardandosi intorno, fingendo di cercare qualcuno: "Sembra di sì...", e si è messa a ridere.»

«E poi come è andata?»

«Poi abbiamo parlato, parlato, parlato.»

«Ai tuoi tempi non facevate altro che parlare...»

«Ehi, ragazzino, non mancare di rispetto a tuo padre!»

«E di cosa avete parlato?»

«Delle stelle.»

«Delle stelle? E ti ha anche ascoltato?»

«Sì, io ero un appassionato di stelle, avevo comprato il mio primo telescopio durante il liceo e sapevo riconoscere le costellazioni. Così le raccontai le storie delle stelle, che dal ponte della nave, in quella notte fresca e limpida, si vedevano senza l'ausilio di nessun telescopio. E lei, a differenza delle altre ragazze, ascoltava e faceva domande.»

Si interrompe, come se fosse finito il primo tempo del suo film romantico. Allora lo risveglio.

«E poi?»

Papà prende un respiro e risponde d'un fiato, sfregandosi una guancia e approfittandone per nascondere un po' il viso dietro le mani.

«Poi le ho regalato una stella.»

«Cos'hai fatto?»

«Sì, le ho regalato una stella, la più luminosa in quella notte senza luna: Sirio, l'unica stella visibile da qualunque luogo abitato della Terra e capace, in una notte senza luna, di proiettare le ombre dei corpi. Ci scambiammo la promessa che l'avremmo guardata tutte le sere, dovunque ci fossimo trovati, e avremmo pensato l'uno all'altra.»

Mi metto a ridere. Papà che regala Sirio alla mamma... gli do una pacca sulla spalla.

«Romanticone... e lei?»

«Lei ha sorriso.»

«E tu?»

«Io avrei dato qualsiasi cosa perché una donna così esistesse davvero nella mia vita, e non solo su una nave in crociera.»

Papà tace. Non sembra voler aggiungere altro. Ho l'impressione che stia per arrossire, allora si pulisce la bocca dalle briciole della brioche per nascondersi, poi mi fissa e dice:

«Sono fiero di te Leo, per quello che hai fatto.»

Le orecchie mi si stappano, come se fino a quel momento fossi stato sordo.

«Credo che oggi tu abbia cominciato a essere uomo: hai fatto una cosa che nessuno ti aveva suggerito o aveva deciso per te. L'hai scelta tu.»

Rimango in silenzio e approfitto della situazione:

«Allora posso scegliere un altro cornetto?»

Papà scuote la testa in segno di complice rassegnazione e mi sorride:

«Sei tutto tuo padre...»

Non passavo così tanto tempo con mio padre da un secolo. "Sono fiero di te" è il motto di oggi. Per il resto: riposo. Devo recuperare le forze. Sono stanchissimo, ma altrettanto felice.

Non ho rivisto Beatrice. Ora non è più ricoverata lì in ospedale, è tornata a casa. Ha finito il primo ciclo della chemioterapia. Una specie di antibiotico contro il tumore. Io sono sicuro che le farà bene. Beatrice è una forte: troppo giovane e piena di bellezza per non farcela. Vorrei andare a trovarla, ma Silvia dice che Beatrice non vuole vedere nessuno. È molto stanca e provata dalla malattia e non se la sente di parlare. Io però la vorrei vedere. Comunque adesso lei avrà

il mio sangue, e sarà come tenerle compagnia ancora
più da vicino. Da dentro. Uniti. Spero che il mio sangue le faccia bene.

Mi sento felice e stanco. Così è l'amore.

«Ma che hai? Vuoi correre? Non ne stai azzeccando una...»

Sono stanchissimo. Non dovevo giocare dopo aver donato il sangue. L'infermiera mi ha avvisato che dovevo stare tranquillo. Io non ho detto che andavo a giocare, non potevo mancare alla partita. Ora sono senza fiato, stiamo pareggiando 2 a 2 con dei merdosi quartini che stanno facendo la partita del secolo. Io ho sbagliato una quantità scandalosa di goal, peggio di Iaquinta in una delle sue giornate peggiori.

«Sei bianco come la Morta...»

La Morta è una ragazza di terza super emo. Un'unica macchia di nero su una pelle bianca, quasi trasparente. Mi viene da vomitare e mi manca il fiato. Mi devo fermare a bordo campo. Mi gira la testa...

Prendo la faccia tra le mani e mi accoccolo per terra, sperando che un po' di sangue mi torni al cervello. La pelle mi prude e sento freddo.

«Non ce la faccio, Niko...»

Niko mi guarda schifato.

La partita finisce pari.

Quando Ciuffo, Stanga e Spugna rientrano nello spogliatoio stanno parlando male di me.

«La squadra del Vandalo ha perso. Li potevamo superare. Adesso siamo ancora dietro di uno. E tutto perché tu sei diventato una checca... non reggi manco una partita...»

«Oggi ho donato il sangue...»

«Proprio oggi dovevi farlo? Oggi che c'era la partita?»

Non rispondo neanche.

Me ne esco dallo spogliatoio e lascio che sia il vento sulla faccia ad asciugarmi le lacrime di rabbia. Quando fai una cosa buona la paghi sempre a questo mondo... la gente non sa un cazzo dell'amore. Pensa solo al calcio e non ti chiede neanche perché mai ti è venuto in mente di donare il sangue...

Beatrice è tornata a scuola. È più magra. Più bianca. I capelli corti, dal rosso più opaco e spento. Gli occhi sempre verdi, ma più nascosti. Vorrei incrociarla e dirle che ci sono, che le ho donato il mio sangue, che sono felicissimo di rivederla, ma poi capisco che è meglio starmene zitto. Mi limito a sorriderle quando la incontro all'intervallo. Lei mi guarda per un attimo come se mi riconoscesse e ricambia. Il suo sorriso non è rosso come sempre, è più bianco. Ma lei è il cuore del mio sogno. Il mio sogno è rosso e io devo riportare quel bianco al rossoviola che ho visto uscire dal mio braccio. Non ho più dubbi. In quel sorriso c'è il senso di tutto quello che sto cercando.

Non lascerò che tu te ne vada. Non lascerò che quel tumore bianco ti porti via. Dovessi prendermelo io al posto tuo. Non lascerò che accada, perché tu sei molto più necessaria di me su questa Terra. Voglio che tu lo sappia. Per questo ti scriverò una lettera, per dirti che ci sono e se hai bisogno di qualcosa me la puoi chiedere in qualsiasi momento. Oggi torno a casa e scrivo la lettera. Deve esser la cosa più bella e rossa che abbia mai fatto in vita mia. Deve essere perfetta.

È strano come i sogni ti mettano in moto, come una trasfusione di sangue. Come se ti entrasse nelle vene il sangue di un supereroe.

Non ho mai scritto una lettera e non posso neanche scaricarla da internet. Su internet le cose sono sempre vecchie. Non ci può essere una lettera da Leo a Beatrice, devo scriverla io per la prima volta. Però questo mi piace, perché scriverò una cosa che nessuno ha mai scritto. Sono emozionato. Adesso prendo carta e penna e scrivo.

Primo problema: la carta senza righe. La scrivo al computer. Ma appena cominciato lascio perdere perché è bianca come il ghiaccio, fredda. Allora riprendo il foglio e mi rimetto a scrivere, ma le righe mi vengono tutte storte, le parole cadono in un burrone. Fa schifo: tutta colpa del bianco assoluto. Non posso mandarle una lettera da analfabeta. Come faccio?

Mi viene un'idea. Stampo una pagina bianca con delle righe nere belle grosse, che sembra il pigiama di papà. La metto sotto il foglio bianco e uso le righe come guida nascosta. Ottima idea. Per sconfiggere il bianco che ti fa scrivere storto ci vogliono linee nere nascoste, grosse e forti. Adesso si tratta solo di riempire quelle righe. Questa è la parte più difficile.

Cara Beatrice, come stai?
L'altro giorno ti ho rivista a scuola, ti ho sorriso e tu mi hai sorriso. Non so se ti ricordi. Ecco, quello sono io. Quel-

lo con i capelli da pazzo: Leo. *Ti scrivo perché voglio essere con te in questo momento. Non so bene cosa si debba dire in certe circostanze. Se devo fare finta di non sapere che stai male, se devo fare finta di non averti donato il mio sangue, se devo fare finta che non mi piaci... insomma, non ci riesco a fare finta. E così ti ho già detto tutto: tu stai male, ti ho donato il sangue, mi piaci. Adesso posso parlare più liberamente, perché ho finito con le cose importanti. Quelle che uno deve dire per forza, perché se non le dice finge e se finge ci sta male. Io invece con te voglio essere sincero, perché tu sei parte di un sogno. Come ci dice il prof Sognatore. Cioè, non è che faccia Sognatore di cognome, ma è quello che sostituisce l'Argentieri, e siccome parla sempre di sogni lo abbiamo soprannominato così. Io lo sto cercando il mio sogno. Il segreto è porre le domande giuste. Le domande giuste alle cose e alle persone che ci stanno a cuore e stare a sentire cosa il cuore ci risponde. E tu hai un sogno? Ci hai mai pensato?*

    Ti mando un forte abbraccio e spero di avere presto tue notizie.

Leo, di prima D

Non ho l'indirizzo di Beatrice. Non ho neanche la busta... meglio: non saprei neanche come scrivere l'indirizzo, dove mettere il francobollo e tutto il resto. Mi vergogno di chiedere alla mamma. Allora esco. Prendo il motorino. Compro una busta. Ci metto dentro la lettera. Ci scrivo su a caratteri cubitali "Per Beatrice" e poi vado a casa di Silvia a chiederle l'indirizzo, così posso lasciare la busta direttamente nella buca delle lettere.

Il mio bat-cinquantino è un tappeto volante di felicità, vola verso la sua meta. Mica posso affidare alle poste italiane la lettera della mia vita. E allora volo verso il blu come il messaggero di una eredità miliardaria. Ho il cuore che batte al ritmo dei giri delle ruote del mio motorino. Rido, canto, e non sento nulla. Neanche il clacson che mi urla da destra che dovevo ricordarmi di riparare i freni. E non è uno sfidone di frenate, non c'è neanche stato il tempo di aver paura, né di contare fino a uno, né di frenare...

Poi bianco.

Quando mi risveglio sono in un letto bianco d'ospedale. Nel cervello il bianco. Non ricordo nulla. Mi sembra che la mia testa sia staccata dal resto del corpo. Probabilmente sono stato rapito, sedato e trasformato in un supereroe. Mi chiedo che poteri ho acquisito: volo, teletrasporto, invisibilità, lettura del pensiero... Provo con il teletrasporto, ma mi rendo conto che non mi posso muovere di un centimetro. Dipende da qualcosa di rigido che ho intorno al collo e che mi tiene fermi il busto e la testa. Per la prima volta capisco cosa prova Terminator quando lo tiro con il guinzaglio.

Apro gli occhi: accanto a me c'è la mamma. Ha gli occhi rossi.

«Ma cosa è successo?»

Mamma mi dice che una macchina mi ha investito. Almeno così ha raccontato chi ha visto l'incidente. Io non ricordo niente o quasi, qualcosa di confuso. Comunque, a conti fatti: mi sono incrinato una vertebra e devo stare fermo immobile a letto per almeno dieci giorni. Come se non bastasse ho un polso rotto, il destro, già ingessato: niente compiti. Ma chi è stato a fare questo (quasi) casino? La mamma mi dice che chi mi ha investito non si è fermato. È scappato via. Un passante ha preso la targa, ci penserà papà. Adesso l'importante è che io stia bene e torni presto in piedi, ma per quest'anno posso dire addio alla settimana bianca e allo snowboard... Quando uscirò da qui sarà Natale ormai.

Mi sale una rabbia che non conosco. Una rabbia tanto forte che la potrei scaricare anche su mia madre, pure se non c'entra niente. Adesso ricordo. Stavo portando la lettera a Beatrice, ero appena uscito da casa di Silvia con l'indirizzo scritto direttamente sulla busta. E poi il buio. Chissà che fine ha fatto la lettera. Ce l'avevo in tasca. Adesso ho addosso un pigiama, un collare e il gesso... chissà dove è finita la lettera.

Merda. Ancora una volta cerchi di fare una cosa buona e per qualche motivo ti ritrovi con il culo per terra. Ma chi ha inventato la sfiga? Che cazzo c'entro io? Che colpa ne ho io? Non amo più e vaffanculo.

Almeno ho capito quale supereroe sono diventato: Sfigaman.

Ho dormito almeno un secolo a giudicare dal mal di testa che ho quando apro gli occhi e dalla luce che mi ferisce le pupille. Non appena riesco a mettere a fuoco chi sono e dove mi trovo vedo due occhi celesti come l'azzurro dell'alba quando fatica a diventare intenso. Sono gli occhi di Silvia, azzurri come il cielo senza nuvole. Silvia è la Fata Turchina e io Pinocchio. Lei mi fa sentire normale anche nella mia armatura di gesso. Sorrido strizzando gli occhi. Silvia corre a socchiudere le tende perché la luce non mi dia fastidio.

«Hai sete?»

Mi chiede prima che io sia riuscito a connettere la mia bocca secca al cervello e il cervello alla bocca secca perché faccia la richiesta. Mi versa un bicchiere di succo d'ananas che ha comprato apposta per me. Il mio preferito. Io non ho avuto ancora il tempo di esprimere un desiderio che Silvia lo ha già soddisfatto. Se non fosse solo un'amica forse potrei amarla.

Ma l'amore è un'altra cosa. L'amore non dà pace. L'amore è insonne. L'amore è elevare a potenza. L'amore è veloce. L'amore è domani. L'amore è tsunami.

L'amore è rossosangue.

Mi viene a trovare Niko. All'inizio tiene gli occhi bassi.

«Scusa, Leo, per l'altro giorno alla partita... pensa se morivi... mi lasciavi qua solo con quel branco di sfigati... niente più Pirati, niente più sfidoni, niente più musica... Non fare più questi scherzi...»

Sorrido. Sono felice. Ho ritrovato Niko. Non ci eravamo parlati quasi per niente dopo la partita. Nessuno dei due aveva voglia di chiedere scusa. Doveva farlo lui. Ci ero stato male e basta.

«Per quanto ne hai?»

«Di gesso più o meno un mese, per fortuna è una frattura composta...»

«Bene, allora salti solo una partita. Speriamo di farcela senza di te.»

«Fai giocare Stecco. Anche se non ha i piedi buoni sa come stare in campo. Dovrai fare un po' di straordinari. E poi non è una partita difficile la prossima.»

«Ma io senza di te non mi diverto, Pirata.»

Sorrido.

«Vedrai che mi rimetto a posto subito e ci andiamo a prendere quella coppa. Nessuno può fermare i Pirati, Niko, nessuno... E poi abbiamo un conto in sospeso con il Vandalo.»

Niko si alza e si mette in posizione da inno nazionale italiano. Con la mano sul cuore canta ad alta voce e io lo seguo. Cantiamo a squarciagola. Quando entra l'infermiera a controllare cosa sta succedendo scoppiamo a ridere.

«Se non state buoni faccio un'anestesia totale a tutti e due! Tu manco da malato riesci a stare buono?!»

Niko la guarda improvvisamente serio e rapito.

«Mi vuoi sposare?»

L'infermiera, disarmata, si mette a ridere.

Niko si gira verso di me, sospirando.

«Mi ha detto sì...»

Mi viene a trovare il resto della classe. Sono contento. Chissà perché per essere al centro dell'attenzione è necessario ridursi così. A volte nella vita ti viene voglia di fare qualcosa di talmente clamoroso che gli altri non ti possano più ignorare: essere sotto gli occhi e sulla bocca di tutti. Soprattutto in quei momenti in cui ti senti solo e vuoi sputare in faccia agli altri la tua solitudine. Allora immagini di buttarti dalla finestra, così tutti quei pezzi di merda capiscono cosa stai provando e cosa significa lasciare soli gli altri. Comunque, il dolore e la sventura sembrano il modo migliore perché il mondo si prenda cura di te e ti voglia bene.

Mi hanno portato i miei fumetti preferiti. Silvia ha dipinto un quadro per me. È piccolo. C'è una barca in mezzo al mare, che punta la prua all'orizzonte azzurro, in cui cielo e mare si mescolano. È come se fosse dipinto dall'interno della barca. L'ho appeso di fronte a me. Mi fa compagnia, quando rimango solo in questa camera d'ospedale. È una camera per due, ma per adesso sono solo. Meno male. Mi vergognerei un sacco a pisciare nel pappagallo di fronte a qualcun altro, magari con l'infermiera che me lo regge... Per un attimo invidio Terminator, che non si fa problemi a pisciare davanti a orde di cani e filippine. I cani non sanno neanche arrossire.

Niko mi ha portato un cd. Così me lo ascolto e suoniamo qualcosa quando torno in piedi. Anche gli altri miei compagni mi hanno portato qualcosa. È bello essere al centro dell'attenzione, anche se il prezzo è qualche osso rotto.

È bello lasciarsi amare...

Da qualche giorno ho un compagno di stanza. Un signore corpulento. Immenso. Un elefante urbano. Si è fratturato due vertebre. Deve rimanere immobile e fare tutto a letto: persino i bisogni. Odio il suo odore. Guarda continuamente il soffitto o la tivù, che sta più o meno sul soffitto. Ogni tanto parliamo. È uno simpatico. È conciato malissimo, eppure è tranquillo. Ogni tanto s'incazza, quando ha dolori o non riesce a dormire. Ha una moglie che lo accudisce. La figlia e il figlio lo vengono a trovare spesso.

È bello quando stai male avere una famiglia che ti sta vicina. Come fai se non hai una famiglia, una moglie, dei figli? Chi si prende cura di te quando stai male? Grazie all'Elefante ho visto cos'è avere una famiglia. Non che io non ce l'abbia. Ma ho visto quello che non riuscivo a vedere. Perché le cose, finché non ci sei dentro, non le capisci o non riesci a vederle. E allora i genitori ti sembrano due rompipalle professionisti, che stanno lì solo a vietarti di fare le cose che vorresti.

L'Elefante, sua moglie e i figli invece me lo hanno mostrato con chiarezza: da grande voglio una famiglia unita come la loro. Perché anche se stai male rimani tranquillo, e questo è il senso di una vita ben spesa: qualcuno che ti ama anche quando stai male. Qualcuno che sopporta il tuo odore. Solo chi ama il tuo odore ti ama davvero. Ti dà forza, ti dà serenità. E mi sembra un bel modo di mettere una diga ai dolori che capitano nella vita.

Me lo devo ricordare questo. Me lo devo assolutamente ricordare, perché è da mettere nel mio sogno per quando sarò grande. Con Beatrice. Io amo il suo profumo, già adesso. Il profumo irresistibile dei sogni, della vita, dell'amore.

Entra il Sognatore. Non ci posso credere. Un professore che va a trovare un alunno in ospedale. Anzi, un supplente. Mi sento un re che tocca il cielo con un dito, o qualcosa del genere. Il Sognatore si siede accanto al letto e mi racconta della scuola. Le interrogazioni, i compiti e qualcosa sul programma. Ormai siamo agli sgoccioli, le vacanze di Natale stanno per arrivare. Sulla lavagna sono comparsi i festoni argentati e Barba, il bidello con un barbone tanto lungo e folto che ci si potrebbero appendere le palle di Natale e le lucette, ha preparato il suo albero mezzo stecchito. Me l'immagino, mi spiace non essere lì, in uno di quei rari momenti in cui la scuola diventa divertente.

Il Sognatore mi racconta che anche lui quando aveva la mia età si è spaccato un braccio giocando a calcio. Mi fa vedere la cicatrice che gli è rimasta dopo l'operazione. Io per fortuna non mi sono dovuto operare e non ero cosciente quando mi hanno rimesso a posto l'osso. Quanto dolore ti risparmi dormendo. Il problema è quando ti svegli.

Comunque il Sognatore è proprio divertente, perché ti racconta le cose come farebbe uno qualunque. Cioè, lui è normale. Ha una vita come la mia. Mi racconta anche una barzelletta, che non fa ridere, ma io faccio finta perché non ci resti male. Mi chiede come va con il mio sogno e io gli spiego il punto a cui sono arrivato. E gli dico che tutto è andato in frantumi con l'incidente e poi non so se voglio continuare, perché ogni volta che mi ci metto succede qualcosa di male: prima Beatrice, ora io. Il Sognatore sorride e mi dice che questo fa parte dei sogni veri.

«I sogni veri si costruiscono con gli ostacoli. Altrimenti non si trasformano in progetti, ma restano sogni. La differenza fra un sogno e un progetto è proprio questa: le bastonate, come nella storia di mio nonno. I sogni non sono già, si rivelano a poco a poco, magari in modo diverso da come li avevamo sognati...»

Il Sognatore sta dicendo che sono fortunato a stare a letto con la schiena rotta! Non gli credo e glielo dico.

«Non avevo dubbi.»

Ridiamo. Però lui mi spiega che se sto in quel letto è perché stavo facendo qualcosa di speciale, stavo realizzando il mio sogno portando la lettera. E se un sogno ha così tanti ostacoli vuol dire che è quello giusto. Gli brillano gli occhi. Quando lo saluto, mi sbaglio e lo chiamo Sognatore. Ride e aggiunge che lo sa che lo chiamo così. Se ne va e io mi mordo le labbra perché al Sognatore va bene tutto, anche i soprannomi. Chi l'ha detto che per avere autorità bisogna essere antipatici?

La visita del prof mi ha messo di buonumore: ho voglia di uscire da qui, di cenare con mamma e papà, portare Terminator a pisciare, suonare con Niko, studiare con Silvia, baciare Beatrice... Ma in fondo in fondo il Sognatore mi fa anche un po' incazzare perché... mi fa rabbia ammetterlo... io voglio essere come un supplente sfigato di storia e filo.

Mia madre ha trovato la lettera. È sporca di sangue e asfalto. Era nella tasca dei jeans. I jeans li ha buttati. Erano strappati. Ma prima di buttarli ha frugato nelle tasche. Due euro. Un elastico. Una figurina di Bart. Le gomme. Una lettera. C'è il mio sangue su quella lettera. Ormai raggrumato e secco. E incornicia il nome di Beatrice. È la seconda volta che do il sangue per lei. E questo mi rende felice, come la prima volta. Rileggo la lettera. È una buona lettera, anche se alcune parole non si leggono, sporche come sono di sangue. Devo trovare il modo di fargliela avere. Dovessi alzarmi da solo da questo letto!

È venutc a trovarmi anche Gandalf. Non me l'aspettavo. Ha ventimila classi, almeno otto milioni di alunni, la sua parrocchia e un centinaio di anni da portare in giro tutti i giorni con quel corpo trasparente che assomiglia allo Spirito Santo a cui crede tanto... eppure mi viene a trovare. Non che mi dispiaccia, anzi, mi ha colpito. Non me l'aspettavo. Mi chiede di raccontargli cosa è successo. Gli racconto tutto, anche della lettera. Mi sento a mio agio. Non gli dico che si tratta di Beatrice, mi tengo sulle generali. Mi dice che sono un figlio prediletto da Dio. Io gli dico che di Dio non ne voglio sentir parlare, perché se ci fosse non avrebbe fatto ammalare Beatrice.

«Se lui è onnipotente e onnitutto perché mi ha fatto questo? Perché mi ha voluto far soffrire e fa soffrire altri come me che non fanno niente di male? Altro che figlio prediletto. Io Dio proprio non lo capisco. Ma che razza di Dio sei, se c'è il male?»

Gandalf mi dice che ho ragione. Come ho ragione? Io lo provoco e lui mi dà ragione? Bah... almeno i preti dovrebbero difendere le loro posizioni. Gandalf mi ribadisce che anche Gesù, che era il figlio di Dio, si è sentito abbandonato da suo padre e glielo ha gridato nel momento della morte.

«Se Dio ha trattato così suo figlio, tratterà così tutti quelli che ritiene suoi figli prediletti.»

Che ragionamento è? Però non ho avuto da contro-battere, perché comunque questo – dice Gandalf – rac-contano i Vangeli:

«Se uno volesse inventarsi un Dio forte lo farebbe senza problemi, non immaginerebbe un Dio debole e che per di più si sente abbandonato dal padre al mo-mento della morte.»

Gandalf vede il sangue sulla lettera che conservo vicino a me sul comodino. E mi dice che gli ricorda il suo crocifisso: una lettera scritta agli uomini, firmata con il sangue di Dio, che con quel sangue ci salva. Fer-mo Gandalf, altrimenti parte con una predica di dieci alla quinta ore e non mi sembra il caso. Comunque mi ha dato filo da torcere e poi questa idea del sangue mi piace. Come ho fatto io con Beatrice. Forse è l'unica cosa vera di tutto il discorso su Cristo: l'amore è dare il sangue. L'amore è rossosangue.

«Leo, al dolore non c'è una risposta convincente. Però da quando Cristo è morto sulla croce per noi c'è un senso. Un senso c'è...»

Lo abbraccio affettuosamente, come posso. Se ne è ormai andato via quando mi accorgo che ha poggiato e lasciato il suo crocifisso sulla lettera per Beatrice. Dietro a quel pezzo di legno a forma di T c'è scritto "Dare la vita per i propri amici, non c'è amore più grande di questo". Non è male come frase. Me la voglio ricorda-re. Rimetto il crocifisso dentro la busta, quando torno a scuola lo devo restituire a Gandalf e poi mi vergo-gno a farmi vedere con un crocifisso: porta sfortuna.

Sono stufo di rimanere inchiodato a letto. Stufo da morire. Le giornate non passano mai. La posizione è scomoda e il braccio ingessato spesso mi prude così tanto che me lo staccherei. I minuti non passano mai. L'unico modo per riempirli è non pensare. La tivù è sempre accesa e questa è la migliore delle distrazioni. Perché se mi concentro sul mio corpo sento dolore, e se mi concentro sui miei pensieri sento ancora più dolore. Perché il dolore ha deciso di diventare il mio migliore amico?

Come dice il Sognatore, è necessario perché i sogni diventino realtà, e allora lo sopporto, però ne farei volentieri a meno. Ci sarà un modo più facile di realizzare le cose... senza fatica, magari... io mi stanco anche a guardare la tivù. Non so perché, dato che sono fermo a letto. Ma è un dato di fatto. La tivù mi stanca. Tutto uguale: un'anestesia totale. In tivù la metà delle storie è sui segreti delle persone, l'altra metà su cosa fanno le persone quando i loro segreti vengono scoperti. Io ho un segreto, ma non lo vado mica a dire in tivù.

Il mio segreto è Beatrice.

Silvia è venuta a trovarmi. Mi ha portato un libro. È un libro di racconti.

«Così passi il tempo.»

Silvia è come la risacca del mare, anche se non la senti c'è sempre. E se la ascolti ti culla. Se la amassi me la sposerei subito, ma l'amore non è risacca, l'amore è tempesta. Le chiedo di Beatrice. Mi dice che è di nuovo ricoverata. Per il secondo ciclo di chemioterapia.

«È qui, nel tuo stesso ospedale.»

Non ci posso credere. Io dormo sotto lo stesso tetto di Beatrice e non lo sapevo. La cosa mi manda in visibilio ipercinetico. Non ne parlo troppo con Silvia perché è un pensiero talmente bello che voglio gustarmelo da solo. Dopo ci voglio tornare su questo pensiero, e devo fare una cosa. Anzi, la faccio subito.

«Perché non le porti la mia lettera?» chiedo a Silvia.

Mi dice che non è il caso e abbassa gli occhi, quasi triste. Forse ha ragione. Beatrice dorme molto durante la chemio, la spossa. Beatrice vomita spesso. Non ha il coraggio di andare lì per darle la lettera di qualcun altro. Forse non è il momento opportuno. Credo che Silvia abbia ragione.

Parliamo della scuola. Erika-con-la-kappa si è messa con Luca. Sembrano una coppia inseparabile. La cosa strana è che Erika-con-la-kappa, che di solito va bene, si è fatta trovare già due volte impreparata. Il giorno prima era con Luca. Luca non ha mai studiato molto e porta Erika-con-la-kappa in giro tutto il pomeriggio. Cazzeggiano e si sbaciucchiano un sacco. Erika-con-la-kappa dice di aver scoperto che in fondo lo studio non è importante. Ora che ha l'amore, tutto il resto lo ha ridimensionato. Perché non c'è niente come l'amore per farti stare bene. Ha ragione Erika-con-la-kappa, sono d'accordo con lei. Dico a Silvia che la felicità è avere il cuore innamorato. Silvia mi dà ragione, però dice che è strano che uno cambi personalità quando s'innamora. Se Erika ha sempre studiato, perché deve smettere ora che è innamorata? Sembra essere diventata una qualunque Erica-senza-la-kappa: è come se non fosse se stessa.

Perché Silvia ha sempre delle sottigliezze da tirare fuori su argomenti che a me sembrano così chiari? Mi ha messo in crisi pure questa convinzione intoccabile di essere innamorati. Le chiedo se lei è mai stata innamorata. Silvia annuisce e si fissa la punta delle dita di una mano.

«Di chi?»

«È un segreto. Forse un giorno te ne parlerò.»

«Ok, Silvia, rispetto la tua privacy, ma sappi che puoi sempre contare su di me, per qualsiasi segreto.»

Silvia sorride incerta e poi mi racconta della Nicolosi. La Nicolosi è la prof di educazione fisica. Una donna sui cinquant'anni che deve essere stata bella da ragazza, ma ora non lo è più. Cerca in tutti i modi di fare la giovane, ma è ridicola. Nessuno però ha il coraggio di dirglielo. Non è come la Carnevale. La Carnevale è la prof di biologia. Lei, anche se ha cinquant'anni, è ancora una bella donna, ma una bella donna di cinquant'anni. Invece la Nicolosi si veste come una di vent'anni, e allora è ridicola. Comunque Silvia mi ha raccontato che la Nicolosi è venuta a scuola con una minigonna tale che i ragazzi erano impazziti.

«No! E io me la sono persa...»
Silvia si blocca:
«Sei un maiale!»
«No, un leone...»
Sta di fatto che i ragazzi le hanno fatto le foto con i cellulari.
«A te non piace essere guardata?»
Silvia ha un attimo di esitazione:
«Sì... moltissimo... ma non voglio costringere nessuno a guardarmi, e una donna sa come costringerti. Altre invece preferiscono aspettare una persona che sia lì solo per loro e abbia voglia di scoprirle poco a poco, come si fa con un sogno...»

Questa è un'altra cosa su cui devo riflettere. I sogni sono come le stelle: le vedi brillare tutte quando le luci artificiali si spengono, eppure stavano lì anche prima. Eri tu a non vederle, per il troppo chiasso delle altre luci. Silvia mi costringe a riflettere. Lo fa apposta. E io mi addormento quasi subito. Non sono fatto per riflettere a lungo. Mi addormento con il rammarico di quello che mi sto perdendo a scuola. Anche se, prima di crollare nel buio, mi balena l'idea che non mi sto perdendo proprio niente di necessario per vivere...

È ufficiale: la scuola è inutile. Se divento ministro dell'Istruzione la prima cosa che faccio è chiudere le scuole.

Quando mi sveglio mi viene subito in mente che nel mio stesso ospedale c'è Beatrice e succhio quel pensiero come una Mentos. Questo mi fa dimenticare il dolore, il fastidio, la televisione. Quando la persona più bella che tu conosca è vicina a te, tutto, anche le cose brutte, si trasformano. Prima non avevano senso. Poi diventano sensate. Devo pensare a un piano. Voglio almeno vederla. Adesso posso anche alzarmi dal letto. Il braccio lo porto al collo e il collo è rigido grazie al collarino, ma l'immobilità non è più necessaria. Le radiografie sono buone.

Allora mi decido. Scendo giù dal letto. Non sono proprio un prodigio di bellezza così conciato, non posso neanche togliermi il pigiama. Ma pazienza. In ospedale ti abitui a guardare le persone in pigiama. È incredibile la rapidità con cui puoi accettare di stare in pigiama davanti a uno che non conosci. In ospedale succede così. Forse perché si è tutti ridicoli allo stesso modo di fronte al dolore e alla sofferenza. Tutti talmente uguali che il pigiama è la divisa giusta per annullare le differenze. Io poi ho un pigiama elegantissimo di papà. Mamma me lo ha portato perché è più largo e va bene con il gesso. E poi sento l'odore di papà, che mi fa sentire a casa.

Così elegante mi avventuro per i corridoi del reparto femminile. Non ho il coraggio di chiedere di Beatrice direttamente alle infermiere, e mi aggiro come se stessi facendo una passeggiata. Mi affaccio nelle camere del reparto di oncologia. Silvia mi ha detto che si chiama così il reparto dei tumori. Non so bene perché, ma quell'"onco" deve essere qualcosa di greco che ha a che fare con i tumori, perché la parte "logia" della parola ha sempre un altro termine greco accanto. Devo cercarlo sul Rocci quando torno a casa. Il Rocci, manna per gli oculisti! Non mi manca per niente. Mi affaccio nelle camere. Come nel mio reparto c'è gente per lo più anziana. Vecchi. Io sono una specie di mascotte. L'Elefante ha settantacinque anni... L'ospedale è una galleria di vecchi bianchi. I giovani se sono in ospedale è perché sono stati sfortunati, i vecchi ci stanno perché sono vecchi.

Ma se vedi una testa con pochi capelli rossi adagiata su un cuscino bianco, come fosse una rosa poggiata sulla neve o il sole nella Via Lattea, quella è Beatrice che dorme. Sì, è Beatrice che dorme. Entro. La sua vicina di stanza è una vecchia così piena di rughe che sembra gliele abbiano scolpite. Mi sorride come un foglio di carta stagnola raggrinzito.

«È molto stanca.»

Ricambio il sorriso. Mi avvio come una mummia verso il letto di Beatrice. Mi spavento. Perché una flebo la sovrasta e un tubo finisce direttamente dentro al suo polso. Le entra nelle vene, e l'ago che ferisce la pelle di Beatrice lascia intravedere il suo sangue rosso. In quelle vene scorre anche il mio sangue. I miei globuli più rossi che mai divorano quelli bianchi di lei e li rendono rossi. Io sento il dolore di Beatrice su di me e vorrei che fosse mio e lei stesse bene. Tanto io in ospedale ci devo stare comunque.

Beatrice dorme. È diversa da come la ricordavo. È indifesa. È pallida, uno strano colore blu le cerchia gli occhi, e so che non è trucco. Dorme. Le sue braccia sono coperte da un leggero pigiama azzurro, abbandonate lungo i fianchi. Le mani sono delicate e magre. Non l'avevo mai vista da così vicino. Sembra una fata. È sola. Dorme. Io mi fermo lì a guardarla per almeno mezz'ora. E lei dorme. Non diciamo nulla, ma non è necessario. Le fisso il viso per ricordarne ogni tratto. Ha una piccola fossetta sulla guancia destra, che la fa apparire sorridente anche mentre dorme. Non fa rumore. Non si sente il respiro. È silenziosa. Ma luminosa come sempre, come una stella nella notte. Poi entra un'infermiera che deve fare dei controlli e mi chiede di uscire. Io mi alzo in modo un po' goffo con il mio pigiama da cerimonia.

«La conosci, elegantone?» mi chiede l'infermiera grassa come la Simmenthal compressa nella gelatina, tutta ballonzolante per la battuta appena fatta. Rimango un attimo in silenzio e rispondo con un sorriso infinito:

«Sì, è la mia ragazza. Per starle vicino mi sono dovuto rompere un braccio...»

L'infermiera-Simmenthal trattiene qualcosa di più di un sorriso che non so definire... Prima di uscire do una carezza a Beatrice. Non la sveglio, però desidero che al suo risveglio trovi la mia carezza, lì sulla sua guancia.

Guarisci, Beatrice. Ho un sogno. E ti ci devo portare con me.

Non ho lasciato la lettera a Beatrice, me ne sono dimenticato, colpa dell'infermiera-Simmenthal che mi ha distratto. Comunque forse non era il momento. Apro la lettera per rileggerla. Come se la stessi leggendo a lei ad alta voce. Cade per terra il crocifisso di Gandalf. Era rimasto dentro la busta. Si ficca nel posto più difficile da raggiungere, come solo le cose che ti servono sanno fare. Mi devo quasi staccare il braccio sano per recuperarlo. Lo stringo in mano. Incazzato. Lo guardo. Anche lui dorme. Anche lui ha lo sguardo di Beatrice mentre dorme. E io capisco che anche lui capisce cosa prova Beatrice, perché sembra esserci passato.

Perché le persone buone, ammesso che tu esista, devono soffrire? Tanto non rispondi. Io non so se ci sei. Ma se ci sei e fai i miracoli, fanne uno per me: fai guarire Beatrice. Se lo fai comincerò a crederti. Che te ne pare?

Ho passato tutto il giorno seduto a letto. Ripercorrevo al microscopio della mia memoria il viso addormentato di Beatrice. Mi sono accoccolato nella fossetta della sua guancia destra e ci sono rimasto per ore, come un neonato nella culla, o come quando da bambino riempivo di colori quegli insopportabili album in bianco e nero. E da lì il mondo si vedeva meglio, mi sembrava di poter ascoltare il silenzio senza averne paura, di toccare il buio. Era come se i miei sensi rattrappiti si sgranchissero dopo un lungo sonno. Così sono passate le ore senza che me ne rendessi conto. Ma non come con la tivù. Perché ora non sono stanco, potrei ricominciare.

È già sera. C'è buio fuori. Voglio proteggere Beatrice dalla notte. Scendo dal letto e mi incammino verso il suo reparto. L'odore dell'ospedale non lo sento più, adesso sento solo l'odore dei malati e ne ho meno paura. Torno indietro. Non posso andare a mani vuote. Entro in una stanza in cui ci sono dei fiori in un vaso. Due signore guardano la tivù. Deve essere uno di quei film noiosissimi di Retequattro. Ma loro sembrano cadute in un ipnotico silenzio da Retequattro. I vecchi. Mi avvicino al vaso. Prendo una margherita. Bianca. Una delle due donne si gira verso di me. Sorrido.

«È per un'amica.»

Il viso, che sembra uscito da una caverna preistorica, annuisce approfondendo le rughe come fiumi.
«Buonanotte.»

«Buonanotte» mi dice dolcemente, rilassando i fiumi delle sue rughe in un mare di pace. Me ne esco giulivo con il mio fiore in mano. È bellissima questa margherita. Semplice proprio come una margherita deve essere. È come se il seme fosse stato piantato da chissà chi nell'attesa di questo momento. Quel giardiniere non lo sapeva, ma lo faceva per me. Il suo lavoro aveva senso per questo momento. In un corridoio di ospedale, nel silenzio bianco della sera, io porto una margherita a Beatrice, stanza 234 del reparto di oncologia. Quando entro la stanza è semibuia. Distinguo solo le sagome di Beatrice e della signora delle rughe. Dormono già. Sono così simili nella penombra! Sono entrambe stremate dal loro male. Sono così vicine, eppure così diverse. Non è giusto che un giovane diventi vecchio tanto in fretta. Beatrice dorme. Intravedo solo il suo profilo, che mi sembra contenere tutti i profili più belli che conosco, sotto la coperta marrone da ospedale. Mi avvicino e lascio la mia margherita accanto a lei, sul comodino. Sussurro una canzone, senza vergogna, senza arrossire.

Buonanotte,
buonanotte, fiorellino,
buonanotte
fra le stelle e la stanza.
Per sognarti
devo averti vicino,
e vicino
non è ancora abbastanza...

Mi allontano in silenzio. Quel che dovevo fare l'ho fatto: la mia prima serenata. In pigiama, ma l'ho fatta.

Torno a letto e non riesco a prendere sonno. Quando guardo Beatrice un mattone mi si pianta nello stomaco. È diverso da quella sensazione che ti viene quando vedi una ragazza che ti colpisce. Ci sono ragazze che ti fanno girare la testa per la loro bellezza. Beatrice mi pianta un mattone nello stomaco, un peso che devi portare, un peso dolce... deve essere questo il segno del vero amore. Non semplicemente l'amore che ti fa girare la testa come una vertigine, ma l'amore che ti pianta al suolo come la gravità. Così mi sono addormentato con la luce accesa, guardando il quadro che mi ha regalato Silvia. Immaginavo di essere al timone di quella barca e accanto a me Beatrice, diretti sull'isola dove tutti i nostri sogni sarebbero diventati realtà. Una margherita tra i suoi capelli rossi infuocati dal sole, come fossero fatti della superficie del mare.

Come direbbero Aldo, Giovanni e Giacomo: chiedimi se sono felice. Sì, almeno nei sogni.

Finalmente torno a casa. Domani è Natale e mi dimettono. Sai che gioia... L'unica cosa incartata per ora è il mio braccio: con un quintale di gesso! Ma prima devo lasciare la lettera a Beatrice, così quando anche lei uscirà dall'ospedale ci rivedremo. Tutto si risolverà e vivremo felici e contenti. Aspetto il favore della notte, quando l'ospedale è un russare scomposto che fuoriesce dalle stanze come il grugnito di un cinghiale. L'odore delle malattie sembra acquietarsi durante il sonno, come il dolore. Ho la mia lettera, in una busta nuova che mi sono fatto comprare da Silvia. Sigillata. Mi avvio con passo felpato verso il reparto di Beatrice. A ogni passo sento la mia anima dilatarsi e il mio cuore diventa una casa che Beatrice ha già cominciato ad arredare, spostando cose, sentimenti, sogni, progetti come meglio crede. Mi ripeto le parole della lettera a memoria, come se si staccassero dal foglio e prendessero vita.

La porta della camera è chiusa. La apro con tutta la delicatezza che posso. Mi avvicino al letto di Beatrice quasi senza respirare per ascoltare ogni suo sussurro, sentire ogni suo profumo.

Il letto è vuoto. Le lenzuola intatte, bianche, senza una piega.

Mi siedo sul letto. Stringo la lettera tra le mani fino a sgualcirla. Il mio sogno è come quegli aquiloni che costruivo con papà quando ero piccolo. Mesi di preparazione e poi non volavano mai. Solo una volta un aquilone rosso e bianco aveva preso il volo, ma il vento tirava così forte che il filo mi tagliava la mano e lo avevo lasciato fuggire via per il dolore.

Beatrice sta volando via così, trascinata dal vento. Provo a trattenerla, ma il dolore del laccio che la lega al mio cuore è sempre più forte... Mi rannicchio come fa Terminator quando dorme, il dolore si placa lentamente al contatto con il letto che ha abbracciato Beatrice. Stanotte dormo con lei, anche se è volata via da qui.

«Cosa ci fai tu qui?»

Sono le parole che interrompono il mio vagare in un immenso letto bianco senza sponde. Se l'infermiera grassa non mi conoscesse me la passerei male.

«Cercavo Beatrice...» rispondo con una sincerità che non lascia scampo al cuore di panna che hanno tutte le infermiere grasse e capaci di amare l'odore dei malati.

«È andata via ieri.»

Resta in silenzio e diventa seria.

Mi stacco dal letto con addosso la nostalgia di chi ha passato una notte abbracciato a Beatrice. Mi avvio fuori dalla stanza a testa bassa, strisciando i piedi. Quando passo davanti all'infermiera, mi scompiglia i capelli con la sua mano di panna.

«Prenditi cura di lei. Anche per me.»

La fisso e sento il calore di quella mano darmi il coraggio che mi manca.

«Lo farò...»

Più tardi arriva mamma. Sistema tutto quello che ho in un borsone e sostenendomi con un braccio, anche se non è necessario, mi aiuta a raggiungere la macchina. Fingo di sentirmi peggio di come sto, perché lei senta il mio peso e io il suo abbraccio capace di farmi dimenticare il dolore, che è la cosa più invisibile e pesante che io conosca.

La mia stanza è rimasta uguale. Chissà quali cambiamenti mi aspettavo. Non dormo più sotto lo stesso tetto di Beatrice, né posso andare a trovarla. Il mio bat-cinquantino ha fatto la fine che poteva toccare a me. E comunque non potrei guidarlo.

È Natale e io devo stare chiuso in casa con il braccio al collo per altri quindici giorni. *Approfitta di queste vacanze per recuperare e portarti avanti*, mi ha detto mamma. Sai che belle vacanze, studiare il doppio del solito. Ma il doppio di zero fa zero, almeno questo lo so. Quando provo a mettermi sui libri le lancette dell'orologio sembrano incollarsi al quadrante e non muoversi più, prigioniere di una bolla spazio-temporale.

Comincio a galleggiare in questa bolla bianca, che mi porta in alto, lontano tra le nuvole, dove nessuno può più sentirmi, e poi nel silenzio siderale: solo come un palloncino che è volato via.

Quando tutto diventa bianco, il mio cuore si restringe come una lenticchia e, anche se urla, nessuno riesce a sentirlo.

L'unica che può salvarmi è Silvia.

Silvia non c'è, è al mare da sua nonna per qualche giorno. Meglio: così posso rimandare ancora un po' quel maledetto recupero. Eppure mi sto annoiando da morire, mi sento in colpa per il tempo che evapora ma non mi va di affrontare la fatica di tutte quelle pagine da recuperare. Il Sognatore dice che quando ci si annoia è perché non si vive abbastanza. Che frase è? Una delle sue frasi filosofiche. È una cosa più grande di me. Forse per questo mi piace. Forse perché dice la verità: non vivo abbastanza. Ma che vuol dire "non vivo abbastanza"? Glielo devo chiedere.

Niko mi chiama. Settimana scorsa abbiamo vinto la partita con i Desperados, di nome e di fatto. Siamo in ballo e fra un mese c'è l'altra partita. Chissà se riuscirò a essere in campo. Per quest'anno tutti i miei sogni sono riposti nel torneo di calcio. Voglio sollevare la coppa per Beatrice e magari di fronte a lei!

Quando ci si annoia è perché la propria vita è noiosa.

Viene il giorno che ti guardi allo specchio e sei diverso da come ti aspettavi. Sì, perché lo specchio è la forma più crudele di verità. Non appari come sei veramente. Vorresti che la tua immagine corrispondesse a chi sei dentro e gli altri, vedendoti, potessero riconoscere subito se sei uno sincero, generoso, simpatico... invece ci vogliono sempre le parole o i fatti. È necessario dimostrare chi sei. Sarebbe bello doversi limitare a mostrarlo. Sarebbe tutto più semplice.

Mi faccio un bel fisico palestrato, un piercing, un tatuaggio di un leone sul bicipite (che non ho)... non lo so, ci devo pensare. Però sono tutte cose che appena le guardi capisci chi hai davanti.

Erika-con-la-kappa ha il piercing al naso e lo capisci che è una aperta, una con cui puoi parlare. Susy ha un tatuaggio sotto l'ombelico, che converge proprio lì. Anche in quel caso capisci con chi hai a che fare. È una specie di segnaletica di una che te la vuole dare. Insomma: devo rendermi più evidente, così gli altri mi vedranno di più. Sono stufo di essere anonimo.

Beatrice non ne ha bisogno, lei ha i capelli rossi e gli occhi verdi. Bastano quelli a raccontare quanto sa amare e quanto è pura: rossa come la stella più luminosa, candida come la sabbia più hawaiana che esista.

Tornato a scuola, tutti mi prendono in giro e mi chiamano D3BO, il robot dorato di *Guerre stellari*. Ho ancora il braccio al collo, anche se tra pochi giorni finalmente mi tolgono il gesso. Sembra che persino Giacomo non sia il più sfigato della classe da quando sono tornato, perché io risulto più sfortunato di lui. Però in compenso tutti mi firmano il braccio ingessato. Il gesso è completamente coperto dalle firme dei miei compagni e dei miei amici. Ho il braccio di tutti i colori. Ho il braccio famoso. Il mio braccio mi vuole bene, perché ora quelli che mi vogliono bene me li porto addosso. "I Pirati aspettano il loro capitano! Niko", "La tua reincarnazione sarà un monumento alla sfiga... Erika", "Meglio a te che a me! Giak", "Sei bello anche così! Silvia". Manca solo una firma. Quella di Beatrice. Ma non ne ho bisogno, perché la firma di Beatrice la porto sul cuore.

Ci sono firme e firme. Se ti compri la Fred Perry, i Dockers, le Nike... quelle sono firme che porti sulle cose e prima o poi le cambi, le butti, le perdi... Certo, ti fanno sentire migliore, ma passano. E poi ci sono altre firme. Quelle che porti sul cuore. Quelle firme ti dicono chi sei veramente e per chi sei veramente. Sul cuore io ho la firma di Beatrice tatuata. Lei è il mio sogno e io esisto per lei.

Lei però non viene a scuola: nuovo ciclo di chemio. Finirà con il perdere l'anno se continua così.

Quando torno a casa sulla scrivania c'è una lettera sgualcita. Un post-it della mamma dice "Era rimasta sul fondo della sacca dell'ospedale". La lettera a Beatrice! Come ho fatto a dimenticarmene! Devo portarle la lettera, fosse l'ultima cosa che faccio, perché: "È ciò che fai che ti definisce, non ciò che sei". Batman ha sempre ragione.

Finalmente, costretto dal passare inesorabile dei giorni, seduto davanti ai libri. Ho deciso di recuperare lo studio arretrato. In verità di fronte a me c'è Silvia, da solo non ce la farei mai. Ormai siamo nella fase thriller del quadrimestre, tra interrogazioni e compiti. E io ho un sacco di arretrati.

Silvia sta lì e mi racconta le lezioni del Sognatore (soprattutto quelle fuoriprogramma, che sono le mie preferite), mi riassume la sintassi dei casi, mi spiega un canto della *Divina Commedia*. Quello di Ulisse che convince i suoi compagni ad affrontare il mare per seguire, mi sembra, "virtute e canoscenza" (sento nelle orecchie la voce spigolosa e metallica della prof) e poi li frega, perché muoiono tutti in fondo agli abissi.

Mentre Silvia spiega io mi perdo. A pensarci, è sempre la stessa storia. Ci sono alcuni che hanno un sogno, o credono di averlo, e costringono altri a crederci, ma poi il tempo e la morte spazzano via ogni cosa.

Tutti hanno vissuto nel miraggio di quel sogno. Ti esplode l'adrenalina nelle vene semplicemente perché qualcuno ci ha creduto al posto tuo, ma era un'illusione. Anche il mio sogno è un'illusione. La malattia me lo vuole portare via. Senza Beatrice io non esisto.

Silvia mi guarda fisso negli occhi in silenzio, perché ha capito che mi sono perso. Poi mi fa una carezza e il vento torna a soffiare sulla barca del quadro, a vele spiegate verso un porto che non conosco ma so che c'è, come è vera quella mano che mi ha accarezzato. Silvia sa fare tutto questo con una carezza. Come fa?

Grazie, Silvia. Grazie, Silvia, perché ci sei. Grazie, Silvia, perché sei l'ancora che mi permette di non andare alla deriva e sei anche la vela che mi permette di attraversare la fatica del mare.

«Grazie, Silvia. Ti voglio bene.»

«Anche io.»

Ci sono pomeriggi in cui la mia stanza, che è meglio di Eurodisney e Gardaland messi insieme, mi sembra una soffitta piena di roba spenta. Che cazzo te ne fai della vita se poi c'è la morte? E quello che c'è dopo la morte mi fa paura. E mi fa ancora più paura se dopo non c'è niente. E mi fa paura Dio, che è onnipotente. E mi fanno paura il male e il dolore. E mi fa paura la malattia di Beatrice. E mi fa paura rimanere da solo. E tutto questo bianco del cazzo...

Allora telefono a Niko, ma Niko è a giocare a calcio e io non ci posso andare. E allora telefono a Silvia, ma Silvia non è a casa. La chiamo sul cellulare: è staccato. Le mando un messaggio: "Chiamami quando puoi".

Silvia, potresti darmi una carezza come l'altra volta? Ho paura, Silvia. Ho una paura fottuta di tutto. Ho paura di non riuscire a combinare niente di buono nella mia vita. Ho paura che Beatrice muoia. Ho paura di non avere nessuno da chiamare al telefono. Ho paura che tu mi lasci.

Sono nella mia stanza e dentro ci sono solo cose mute. Nessuno con cui parlare. I libri sono muti, anche perché non c'è nessun Sognatore a spiegarmeli o a illudermi che potrebbero piacermi. I fumetti sono muti, nonostante i loro colori. Lo stereo è muto, perché non ho voglia di accenderlo. Il pc è muto, perché quello schermo, così profondo da averci dentro il mondo intero, se lo guardi di profilo è solo uno schermo piatto. E ti chiedi come faccia a contenere tutto quel mondo, tutto quel mare, se è così piatto. Nella mia stanza oggi tutto è muto. Ma non voglio scappare. Voglio resistere. Nella mia stanza oggi la tristezza sta entrando a ondate. Cerco di arginarla con una spugna. Faccio ridere. Resisto qualche minuto, poi la paura sale, e sono un naufrago al centro di un oceano di solitudine.

Galleggio in un deserto tutto bianco: una enorme, sterminata stanza bianca insonorizzata, in cui non si distinguono neanche gli spigoli delle pareti. Non sai dov'è il sopra il sotto la destra la sinistra... Io urlo, ma ogni suono è inghiottito. Dalla mia bocca escono parole già marce.

Silvia chiamami, ti prego.

Quando mi risveglio sono le quattro e la paura è più lontana, semplicemente perché sono del tutto rinco. Sono approdato su qualche isola sconosciuta. Cerco qualcosa che mi aiuti a sopravvivere. I poster della mia stanza mi guardano. Poi vedo la lettera. Devo portare la lettera a Beatrice. Ci sono due problemi. La lettera è troppo rovinata, sembra la brutta della brutta dei miei temi, quindi la devo riscrivere, ma con la sinistra non sono capace.

Il secondo problema è che non so se Beatrice sia a casa o in ospedale. Il primo problema ha un'unica soluzione: Silvia. Io detto la lettera e lei me la scrive. Lo so, non è lo stesso, non è la mia grafia, ma Silvia ha una bella grafia, migliore della mia. Quanto al secondo problema... la soluzione è chiara: Silvia!

Non starò esagerando? Lei chiama Beatrice per chiederle dove sia, così io le porto la lettera e magari le parlo. Sì, le parlo, perché le devo parlare. Le devo dire del sogno, e quando lei capirà che il sogno è necessario, che il sogno è il nostro destino, guarirà, perché i sogni guariscono qualsiasi male, qualsiasi dolore. I sogni colorano qualsiasi bianco.

Vado da Silvia.

La mamma di Silvia è una signora che appare come è. Mi piace. Silvia ha preso più da lei che dal padre, che è un uomo silenzioso e per certi versi enigmatico. La mamma di Silvia ha un grande dono: sa interessarsi veramente di me. E lo capisco dalle sue domande.

«Tornerai presto a suonare?»

«Non vedo l'ora...»

Fa le domande sui dettagli. Solo chi fa domande sui dettagli ha provato a sentire cosa sente il tuo cuore. I dettagli. I dettagli: un modo di amare davvero. Mi piace la mamma di Silvia. Se potessi scegliere mia madre, dopo quella che ho, sceglierei la mamma di Silvia.

La camera di Silvia profuma di lavanda. Così si chiamano i fiori sminuzzati in una ciotola sul tavolino basso al centro della stanza. Alle pareti non ci sono poster, come in camera mia. Ma fotografie. Fotografie di Silvia da bambina, con i genitori, con suo fratello minore, alle elementari durante una recita, vestita da Fata Turchina. L'ho detto che lei è la Fata Turchina e io Pinocchio. Forse Silvia è uscita da quel libro.

Su ogni parete domina un quadro dei suoi: una barca a vela sospesa in un cielo chiarissimo, quasi bianco, che si confonde con un mare lattiginoso; una foresta di alberi filiformi, che lei mi ha detto si chiamano betulle, ed è un'immagine che le è rimasta impressa durante un viaggio in Svezia; un campo di tulipani rossi su un cielo blu, quasi viola, questo invece viene da un paesaggio olandese. Mi piacciono i quadri di Silvia. Puoi riposarci dentro. Puoi viaggiarci dentro.

«Ho bisogno del tuo aiuto per scrivere, Silvia.»

«A patto che il giorno in cui guarisci suonerai una canzone per me.»

Le strizzo l'occhio, accompagnando il gesto con lo schiocco della lingua contro il palato, che è una mia specialità.

«Quale?»

«La mia preferita.»

«E qual è?»

«*Aria*, della Nannini.»

«Non la conosco...»

Silvia sembra stupita e lo dimostra come sa fare solo lei: si mette le mani davanti agli occhi e scuote la testa in modo plateale.

«Dovrai impararla.»

«Non puoi accontentarti di *Talk*, dei Coldplay?»

«O quella o niente» dice fingendosi offesa, poi sorride con gli occhi e continua:

«Cosa devo scrivere: il tema su Dante o la ricerca sulla cellula?»

«Una lettera...»

«Una lettera? Non abbiamo questi compiti...»

«... a Beatrice.»

Silvia rimane in silenzio. Apre un cassetto in cerca di qualcosa e i capelli le coprono il viso. Ci mette un po' prima di trovare carta e penna. Poi si risolleva.

«Scusami... Ecco, sono pronta...»

Silvia scrive la lettera mentre io detto. Non va più bene, voglio cambiarla. È passato del tempo e le parole della prima lettera non sono più quelle adatte. Silvia fa per scrivere, mi guarda negli occhi e io cerco di concentrarmi sulle parole. Ma non mi vengono. Non mi vengono le parole per Beatrice. Se mi finiscono le parole per Beatrice sono finito io.

Finora le uniche parole che ho scritto liberamente, dato che quelle della scuola non le considero parole vere, sono proprio le parole della lettera per Beatrice. Quella è stata – ora che ci penso – la prima volta che ho scritto, la prima volta che le parole scrivevano nero su bianco la mia anima. Sì, perché l'anima è bianca e per mostrarsi deve diventare nera come l'inchiostro. E quando te la vedi lì, nera, la riconosci, la leggi, la guardi, come quando ti guardi allo specchio e poi... e poi la regali.

Cara Beatrice,
ti scrivo questa lettera...

Ecco che la mia anima comincia a venir fuori e Silvia la trasforma in nero su bianco, ci mette la sua grafia e la mia anima sembra più elegante uscita dalle sue mani, più sottile, più dolce e ordinata...

... perché le mie parole possano tenerti compagnia. Vorrei tanto parlarti a voce, ma ho paura di stancarti, ho paura di avere paura di vederti soffrire. E così ti scrivo. È la seconda lettera che ti scrivo, la prima mi è rimasta in tasca. Sì, perché ho avuto un incidente e sono stato ricoverato in ospedale. Così, adesso che mi sono ripreso anche se ho un braccio ingessato, ho deciso di scriverti di nuovo. Beatrice, come stai? Sei stanca? Immagino di sì. Io ho donato il mio sangue per te. So che ne avevi bisogno e credo che guarirai, perché il mio sangue ti guarirà. Ne sono sicuro. Gandalf sostiene che il sangue donato guarisce. Lui dice che Cristo ha guarito le persone di tutti i tempi dal peccato dando il suo sangue. Ma quella è una storia strana, perché comunque quel sangue a me non è mai entrato nelle vene. Comunque sia, a me piace questa idea del sangue che guarisce e spero che il mio ti faccia guarire. Se hai il mio sangue scoprirai una cosa importante. Quando ti passerà attraverso il cuore sentirai che lo accarezzerà e gli racconterà il mio sogno. Il sogno che io ho. I sogni rendono le persone quello che sono. Le fanno grandi.

Silvia si ferma e mi chiede se tutta questa storia del sangue non rischi di ferire Beatrice, che ne avrà abbastanza di aghi, ospedali e sangue. Silvia ha sempre ragione. Come fa a capire i miei dubbi prima e meglio di me? Sembra quasi che guardi il mondo con i miei occhi. Allora via la parte del sangue.

Beatrice, io farei qualsiasi cosa perché tu guarisca. Ho donato il mio sangue per te. Spero serva. Beatrice, io ho un sogno e in quel sogno ci sei tu e ci sono io. Per questo guarirai, perché i sogni se ci credi veramente si avverano. So che adesso sei stanca e dimagrita e forse ti vergogni a farti vedere dagli altri, ma sappi che a me vai bene così. Sei bellissima lo stesso. Sono sicuro che starai meglio e, se ti va, ti vengo a trovare presto e parliamo. Ho un milione di cose da dirti e da raccontarti, anche se mi sembra che tu già le conosca tutte. Comunque, se sei stanca e non ti va di parlare, potremo rimanere in silenzio e andrà bene lo stesso. A me basta starti vicino.

Mi fermo perché la mia voce si rompe, perché in un attimo l'immagine di Beatrice che non ce la fa spazza via tutte quelle parole, di Beatrice che in silenzio chiude gli occhi e non ce la fa. E non li riapre più. E allora tutto il mondo attorno a me diventa buio. La luce si spegne. La lampadina si fulmina. Se gli occhi di Beatrice non guardano le cose, le cose sono spente. Io ho sempre avuto paura del buio e ce l'ho tuttora, ma non lo dico a nessuno, perché mi vergogno. Silvia mi guarda senza dire nulla. Avvicina l'indice al mio occhio e raccoglie la lacrima che io ho cercato di trattenere.

«Silvia, io ho ancora paura del buio.»

Non so come mi sia venuto in mente di dire una scemenza simile, che farebbe ridere anche una testa di pietra dell'Isola di Pasqua... Silvia tace. Mi dà una carezza. E io a lei. E la sua non è pelle: è Silvia. Poi scrive sulla lettera a Beatrice: "Tuo, Leo".

E quel "Leo" è scritto come io non sono mai riuscito a scriverlo. Ed è scritto come se fossi io. Senza Silvia io sarei nessuno e la mia anima rimarrebbe bianca. E il bianco è il tumore al sangue della vita.

Silvia mi detta l'indirizzo dell'ospedale dove si trova Beatrice. È diverso da quello della prima volta, perché adesso sembra che la chemioterapia sia diversa, sia più lunga o qualcosa del genere. O forse qui devono prepararla a un intervento chirurgico.

Sono a casa. Mi faccio una doccia ciclopica. Cospargo di ettolitri di deodorante ogni centimetro quadrato della mia pelle. Mi guardo allo specchio per tre quarti d'ora, ma non sono soddisfatto del mio aspetto. Per Beatrice io devo essere assolutamente evidente. Mi dovrà vedere e capire chi sono. Così provo tutte le combinazioni di colori e di vestiti, ma non sono mai sicuro. Qualcosa non va.

Mamma mi urla di uscire dal bagno e di smetterla di fare porcherie. Perché i grandi non capiscono mai un cazzo? Che ne sanno loro di cosa ti passa per la testa? Sono fissati che nella nostra testa ci siano solo le cose che loro non possono più fare. Poi si lamentano se uno non chiede consiglio. *Sei sempre chiuso nella tua stanza, non ti riconosco più, eri un bambino così dolce...* Tanto sai già la risposta, *non ti preoccupare, tanto poi ti passa.* Chiuso in bagno, provo e riprovo. Con il braccio destro ancora mezzo incriccato vestirsi è un'impresa, almeno però non devo morire di vergogna mentre mamma mi abbottona la camicia e ne approfitta per darmi un bacio e dirmi che sono bellissimo... Forse una camicia. Forse una polo con una felpa. Forse... Chiamo Niko.

«Mettiti una camicia e farai la tua figura.»

Grazie, Niko, hai ragione, mi hai salvato. Niko ha sempre le soluzioni giuste, le ricette giuste, anche se non conosce le situazioni. Mi chiedo come faccia. Vorrei essere come lui e avere punti di riferimento chiari su cosa mettermi addosso in ogni circostanza.

Niko però non mi ha neanche chiesto di che ragazza stavamo parlando...

Sono pronto. Ormai fuori si è fatto buio, ma io la luce la porto dentro. Ho la lettera scritta da Silvia. Non spero di parlare direttamente con Beatrice e anche per questo mi sono vestito al meglio, perché la mia immagine deve essere sufficiente a farle capire quanto la amo. E poi basterà lasciarle la lettera.

Quando entro in ospedale un'infermiera mi chiede dove sto andando e io le dico che vado a trovare un'amica.

«Come si chiama?» vuole sapere, con la tipica faccia da infermiera sospettosa.

«Beatrice» rispondo guardandola con occhi di sfida. L'infermiera magrissima, modello spaventapasseri e antipatica, non sa di cosa sono capace. Le volto le spalle senza dire nulla. Stronza. Cerco Beatrice. E non la trovo. No, proprio non la trovo. Dopo un'ora sto ancora girando e non la trovo.

Ho visto di tutto. Ho visitato il museo della sofferenza, con quell'odore di alcol tipico degli ospedali e il color verde vomito delle pareti. Qualcuno sorride quando entro per sbaglio nella sua stanza. Un vecchietto s'incazza. Mi manda a quel paese e io di rimando. Esco dalla stanza e incontro l'infermiera spaventapasseri che mi guarda di traverso, io abbasso lo sguardo.

«Stanza 405» dice con voce soddisfatta e bonaria,

incrociando le braccia come se si trattasse di un rimprovero.

«Come ha fatto?» rispondo a occhi bassi.

«È l'unica Beatrice che c'è nel computer.»

La guardo e sorrido. Le mando un bacio con la mano e le strizzo l'occhio.

«Dall'altro lato» mi grida l'infermiera scuotendo il capo, «al quarto piano.»

Salgo le scale di gran carriera. Salgo e sento che Beatrice è più vicina. Salgo perché Beatrice è lì e io voglio raggiungerla, e ogni gradino che salgo è un gradino verso il paradiso, come per Dante nella *Divina Commedia*. La porta è chiusa, anzi è socchiusa. La apro piano piano.

C'è un solo letto nella penombra della stanza e su quel rettangolo immenso e bianco una sagoma minuta e rannicchiata. Mi avvicino piano. Non è Beatrice. Non è Beatrice. Quella scema dell'infermiera ha sbagliato stanza e chissà dove mi ha mandato. Prima di uscire, osservo la figura rannicchiata sul letto. È una bambina. Mentre all'inizio mi era sembrato un bambino. Ha il viso magrissimo e scavato. La pelle è incolore, di un pallore quasi trasparente. Il braccio viola vicino all'ago che le entra nel polso. Ma dorme tranquilla. Non ha i capelli. Sembra una piccola marziana, raggomitolata come un bimbo che sta nella pancia della mamma. Sembra che sorrida mentre dorme.

Sul comodino c'è un libro, una bottiglia d'acqua, un bracciale di perle azzurre e arancioni, una conchiglia di quelle che nascondono il rumore del mare e una foto. Una foto di quella bimba con la mamma che la abbraccia. Sulla foto c'è scritto "Sono sempre con te, non avere paura, mia piccola Beatrice". Quella bambina ha i capelli rossi.

Quella bambina è Beatrice.

Silenzio.

È mezzanotte. Sono seduto nel posto in cui mi siedo quando il mondo deve tornare a girare nel senso giusto. Sono quei posti che hanno un bottone incorporato, quello per tornare indietro alla canzone precedente. Tu lo spingi e il mondo si rimette a posto. Tu lo spingi e il problema non solo sparisce, ma non è mai esistito. Insomma: sono quei posti che non esistono. Quel posto è una panchina rossa lungo il fiume. Un posto che conosco solo io. E Silvia.

Ho la testa tra le mani, per quanto possibile con il mio braccio ingessato... e non ho smesso di piangere da quando sono scappato. Sì, perché io sono scappato di fronte al mio sogno. Il mio sogno triturato. Stringo tra le mani la lettera per Beatrice scritta da Silvia, inzuppata delle mie lacrime. La strappo in mille pezzi con i denti e la mano sana. Abbandono i frammenti alla corrente. Lì c'è la mia anima nera. La mia anima scritta.

E adesso tutti i pezzi della mia anima sono lì che annegano nella corrente e se ne vanno ciascuno per conto suo, e nessuno li potrà mai più raccogliere: nessuno. Annego in ciascuno di quei pezzi di carta. Annego un milione di volte. Adesso la mia anima non c'è più, se l'è portata via la corrente. Voglio stare da solo. In silenzio. Il cellulare spento. Voglio che il mondo intero soffra perché non sa dove sono finito. Voglio che il mondo intero si senta solo e abbandonato come sono io adesso. Senza Beatrice che sta morendo, senza capelli. Senza Beatrice che non ce la fa. E io non ho neanche riconosciuto l'altra metà del mio sogno. Sono scappato dalla ragazza che volevo proteggere per tutta la vita. Sono un vigliacco.

Io non esisto.

Dio non esiste.

Mi sveglio all'improvviso. Felice. Era solo un sogno. Beatrice sta bene. Ha i capelli rossi. Ed è il mio vero sogno. E Dio esiste ancora, anche se io non ci credo, tanto non cambia niente. Poi sento la voce di qualcuno che mi dice:

«Leo?»

Mi scuoto e non riconosco quel volto. Non sono nel mio letto. Jack Sparrow non mi guarda dalla parete con i suoi occhi allucinati e sto morendo di freddo. Sono sulla mia panchina e davanti a me c'è Silvia con un carabiniere. Questo sì che è un sogno. Il mio posto magico, Silvia e un carabiniere?! Fisso il vuoto.

«Stai bene?» mi chiede Silvia con gli occhi gonfi di sonno e forse lacrime. La guardo e non capisco.

«No.»

Il caramba parla dentro qualcosa che nel buio non distinguo.

«Trovato.»

Silvia si siede accanto a me, mi mette un braccio sulle spalle e stringendomi con dolcezza mi dice:

«Torniamo a casa.»

Guardo l'acqua nera del fiume, in cui i fanali si riflettono come pesci prigionieri. La mia anima è così adesso. Tanti pesci di carta volati via. Prigionieri dell'acqua.

Non torneranno più. E la parola "casa" è uguale a tutte le altre, anzi, peggio: perché chissà cosa mi aspetta. Poggio la testa sulla spalla di Silvia e comincio a piangere, perché sono cattivo.

Non voglio suonare. Non voglio mangiare. Non voglio parlare. Sono in punizione per quello che è successo. È giusto, me lo merito. Papà e mamma erano disperati quando sono rientrato a casa: gli occhi pesti, il viso stravolto. Non li avevo mai visti così. Per me. Erano le quattro di mattina. Ma ho ottenuto quello che volevo. Finalmente ho trovato il modo di difendermi da questo scorpione velenoso che è la realtà. Odiare è l'unico modo di essere più velenosi dello scorpione. Un odio rapido come il fuoco che divora la carta e la paglia, un odio che brucia tutto ciò che tocca, e più tocca più si esalta. Essere cattivo. Essere solo. Essere fuoco. Essere ferro.

Questa è la soluzione. Distruggere e resistere.

Cinque ore di lezione. Cinque ore di guerra. Ho mandato a quel paese la prof Massaroni-pelliccia-di-cane quando mi ha chiesto cosa stessi facendo con il cellulare. Nota sul registro. Sono rimasto fuori anche per tutta l'ora di inglese e nessuno se n'è accorto. Ho fatto il nuovo record a Snake durante l'ora di filosofia, mentre il Sognatore parlava di un tale che diceva che la morte non esiste, perché quando sei vivo la morte non c'è e quando sei morto sei morto, quindi non c'è neanche allora.

Mi è sembrata una cazzata colossale, tanto per cambiare. Beatrice prima era viva, ma ora sta morendo. Come diceva quel poeta: "La morte / si sconta / vivendo". L'avevo considerata una di quelle sparate dei poeti, invece purtroppo è vera. Beatrice è diventata irriconoscibile, o meglio: io non l'ho riconosciuta. La morte avvelena tutte le cose della vita. La filosofia è inutile. Il T9 non ha la parola "Dio", il che dimostra che Dio non esiste. Snake è l'unica possibilità che ti resta per non pensarci.

Poi il Sognatore ha aperto la sua solita borsa dalla quale può estrarre qualsiasi libro, come le mutande di Eta Beta. E in effetti anche lui qualche volta sembra un alieno. Spesso non ne usa neanche uno di quei libri, li lascia lì sulla cattedra. Dice che i libri per lui sono come un pezzo di casa, dove li ha si sente a casa. I libri... che cazzata! Tutte quelle righe piene di storie e di sogni non valgono il numero della stanza di ospedale con Beatrice trasformata in una bambina che ritorna nella pancia della terra: inghiottita.

Il Sognatore legge alcune lettere di condannati a morte della Resistenza prima di essere giustiziati, uno dei suoi fuoriprogramma. Io non so come faccia, ma il Sognatore ha sempre qualcosa da dire di fronte a cui non puoi chiudere le orecchie. Ma perché non mi lascia in pace? Lo ascolto solo perché non posso farne a meno, dato che le orecchie non le puoi chiudere come gli occhi, ma non crederò a una sola parola. E dopo che vada all'inferno. Ecco che legge:

«4 agosto 1944 – Babbo e mamma, muoio travolto dalla tenebrosa bufera dell'odio, io che non ho voluto vivere che per l'amore. Dio è amore e Dio non muore. Non muore l'Amore...»

Il Sognatore fa una pausa.

«Cazzate!»

Mi sollevo come un fuoco, bruciando i sogni di carta e le parole di paglia. La parola si scaglia violenta contro la faccia del prof, come un pugno chiodato da guerriero della notte. Tutti si voltano verso di me con occhi inutili, invece che rimanere a bocca aperta di fronte alla prima dichiarazione di verità mai pronunciata a scuola. Li brucerei tutti, tranne Silvia. Il Sognatore mi guarda anche lui, sicuro di non aver capito.

«Cazzate!» ripeto sfidandolo.

Vediamo ora cosa fai, quando qualcuno ha il coraggio di dire come stanno le cose e distruggere il tuo castello di carte letterarie. Tace per un minuto. Sembra alla ricerca di qualcosa che non riesce a trovare dentro di sé. Poi con voce assolutamente calma chiede:

«Chi sei tu per giudicare la vita di quest'uomo?»

Rispondo a raffica, ha gettato benzina sul mio fuoco:

«Sono tutte illusioni. La vita è una scatola vuota che

riempiamo di cazzate per farcela piacere, ma poi basta nulla e puf...», pausa di silenzio sul mio teatralissimo gesto delle mani che mimano una bolla di sapone che esplode. «Ti ritrovi senza niente. Quell'uomo si è illuso che morire per una causa che riteneva giusta abbia dato senso alla sua vita. Contento lui. Ma è solo una copertura per rendere la pillola meno amara. La scatola resta vuota.»

Il Sognatore mi guarda di nuovo e rimane in silenzio. Poi emerge da quel silenzio con un lapidario e tranquillissimo:

«Cazzate!»

Le sue contro le mie. Comunque sia, sempre di cazzate si tratta. Però mi ha fatto male. Prendo lo zaino e me ne esco, senza dare il tempo al Sognatore di dire altro. Il fuoco brucia e continua a distruggere. Non torna indietro a dare spiegazioni.

Possono sospendermi, possono anche farmi perdere l'anno, non mi importa nulla. Nessuno sa giustificare ciò che sta succedendo e, se le cose stanno così, perché mai dovrei impegnarmi a fare qualcosa? Sono solo e sono forte per la prima volta. Sono fuoco e brucerò il mondo intero. Non chiamo Niko, non capirebbe un cazzo. Non chiamo Silvia, perché adesso non ne ho più bisogno.

E l'immagine della bambina senza capelli, la pallida ombra di Beatrice, mi fa venire voglia di bestemmiare. Bestemmio più volte, ripetutamente, con forza. E ora mi sento meglio. E capisco che Dio esiste, altrimenti non mi sentirei meglio. A prendertela con Babbo Natale non stai meglio. Se te la prendi con Dio, sì.

Quando l'incendio si placa, sono senza forze. Svuotato. Attorno a me polvere, cenere, nero. Mi perdo su internet: la soluzione a tutti i problemi. Ci sono le versioni, ci sono i temi, ci sono i film, ci sono le canzoni, ci sono i calendari delle strafighe. E allora scrivo due parole su Google: morte e Dio. Insieme. Non separate. Insieme. Mi esce la pagina di un filosofo di nome Nietzsche, che ha detto che Dio è morto. E questo lo sapevamo già: sulla croce. La seconda pagina dice il contrario: Dio è risorto, vincendo la morte e liberando gli uomini dalla morte. Anche questo è insoddisfacente, perché è una balla.

Beatrice sta morendo e non ci si può fare nulla. Internet questa volta ha sbagliato tutto. Chi se ne frega se Beatrice risorgerà. Io la voglio qui e ora, voglio vivere con lei per tutti i giorni della mia vita e accarezzare i suoi capelli rossi e il suo viso, guardare i suoi occhi e ridere con lei e farla ridere e parlare, parlare, parlare senza dire nulla ma dicendo tutto. La morte è un problema che non mi riguarda più. Adesso devo occuparmi solo della vita e siccome è poca e fragile devo renderla molta e forte, piena e indistruttibile. Dura come il ferro.

Messaggio di Silvia: "Studiamo insieme?". Io non studio più. Non serve. Rispondo: "No, scusa...". Sil-

via mi risponde subito: "Paura di ke?". Paura di che???
Ma che c'entra? Anche Silvia dà i numeri. Poi mi viene
un sospetto. Controllo il messaggio che le ho mandato:
"No, paura...". Il solito T9. Ho scritto "paura" al posto
di "scusa" senza accorgermene. Non avevo control-
lato e ho mandato in automatico: "No, paura...". Il T9
purtroppo ha ragione. Rispondo al messaggio dicendo la verità: "Di tutto"

Silenzio. Un silenzio da impazzire, un silenzio da
strapparti i vestiti di dosso e gridare nudo al balcone che ne hai piene le palle. Non sono ferro, non sono
fuoco, non sono nessuno.

Messaggio di Silvia: "Ci vediamo tra mezz'ora al parco". Rispondo di sì con uno squillo. Però non ci vado,
la lascio lì da sola come sono io. Sono un vigliacco e
ho il viso inondato dalle lacrime più amare che io conosca, quelle in cui il sale della solitudine è almeno il
novanta per cento e l'acqua solo il dieci.

Questo dolore è tanto denso che ci puoi galleggiare
senza bisogno di nuotare.

Sera.

Nero fuori, bianco dentro. Mi sento in colpa. L'ho fatta pagare all'unica persona che non c'entra niente e che vuole aiutarmi. Silvia tace. E io me la immagino sulla panchina da sola, abbandonata, con il suo sguardo azzurro chino a terra, che si solleva verso ogni persona che si avvicina. Adesso sto ancora peggio. Le scrivo un altro messaggio: "Scusa. Ci vediamo domani". Silenzio bianco. Ma perché cerco la solitudine e poi quando annego nel suo bianco senza appigli mi terrorizza? Perché voglio che qualcuno mi lanci un salvagente, ma poi non faccio niente per afferrarlo? Forse capirò le mie capacità, i miei sogni, ma saprò mai fare davvero qualcosa, a parte il naufrago che non si lascia aiutare? Porterò Terminator a pisciare.

Oggi va bene anche lui per tacere.

Ho passato tutta la notte a pensare a cosa dire a Silvia per chiederle scusa. La mia corazza di ferro si è ammorbidita sino a diventare di panna nel giro di poche ore. Non valgo niente.

Comunque sia, entro a scuola e cerco con lo sguardo Silvia. Solo per un attimo i suoi occhi s'incontrano con i miei che rovistano tra la folla: sono occhi di vetro, in cui riesco a vedere solo me stesso e non lei, che gira lo sguardo da un'altra parte, come se fossi uno qualunque. Quello sguardo mancato mi getta tra la folla dei tanti e ripiombo nel bianco nulla dei perfetti nessuno.

Rincorro Silvia. Le afferro il braccio con più forza di quanto avrei voluto. Non l'avevo mai toccata così, neanche per scherzo. Silvia si libera con il viso contratto dalla delusione:

«Mi ero illusa di avere un amico. Lasciami in pace, sai solo chiedere aiuto, ma degli altri non te ne importa niente.»

Non ho neanche il tempo di aprire la bocca che la vedo allontanarsi come se un vortice la risucchiasse. La inseguo nella foresta di pantaloni a vita bassa, sbattendo contro due o tre energumeni di terza che mi rifilano un calcio nel sedere.

«Fanculo.»

La vedo imboccare il corridoio dei bagni e senza

rendermene conto entro nel bagno pieno di ragazze che si truccano, fumano e confrontano la marca dei jeans. Mi guardano sbalordite, mentre Silvia si chiude in un bagno.

«Ma tu che cazzo fai qui?» mi dice una mora con due fessure nere al posto degli occhi, immersi in una macchia viola di trucco.

«Io... io devo parlare con una ragazza» ribatto come se fosse la cosa più normale del mondo.

«La aspetti fuori. E poi lascia perdere, è troppo carina per uno sfigato come te.»

Ridono. Quelle parole mi spingono fuori dal bagno delle ragazze come fossero la bava sui denti scoperti di un cane rabbioso. Indietreggio cercando di tenerlo a bada e crollo in un dirupo nascosto. Non c'è paracadute nel pozzo senza fondo dell'abbandono.

«Che ci fai tu qui?»

Naturalmente questa è la voce del preside che mi urla di accompagnarlo in presidenza. Prima la fuga da Beatrice, poi il pacco a Silvia, e adesso passo pure per guardone. Nel giro di quarantotto ore ho scoperto l'esistenza delle gradazioni del nero. Ne ho appena attraversate almeno tre, in direzione del buio assoluto... peccato che non sia la fine di un film tragico ma solo l'inizio.

I miei genitori, convocati dal preside per il mio comportamento scorretto, si sono convinti che io non riesca a trattenere le smanie ormonali dell'adolescenza e che mi intrufoli con violenza nei bagni femminili. Papà dice sottovoce:

«Considera le tue ossa ridotte nella polvere della tua ombra.»

Così mi sospendono per un giorno e mi minacciano di appiopparmi un bel cinque in condotta, che significa perdere l'anno. Sorvolo sulla punizione ricevuta dai miei: sequestro immediato della Playstation fino a fine anno e ritiro della paghetta mensile. Questo è niente di fronte al fatto che il giorno dopo la sospensione tutte le ragazze mi guardano e mi ridono dietro:

«Ecco il maiale!»

«Sfigato!»

E questo è ancora niente in confronto al fatto che i ragazzi mi insultano:

«Finocchio, guarda che il bagno tuo è quello senza la gonna disegnata sull'omino nero, magari ci aggiungiamo anche un'asticina, così ti ricordi cos'hai tra le gambe!»

Qualcuno può dirmi se c'è possibilità di scendere da questa giostra dell'orrore? O almeno se esiste un libretto di istruzioni per diventare l'uomo invisibile?

Un giorno intero a fissare le mani del chitarrista dei Green Day nel poster appeso sulla porta della camera. Comincio a lanciargli contro una pallina da tennis, fino a fare un buco nel poster e rendere il chitarrista monco.

Aspetto due cose:

che qualcuno mi salvi o semplicemente che il mondo finisca in questo preciso momento.

La seconda è più facile della prima.

Telefono: Niko.
«Abbiamo vinto, Pirata! La prossima partita è decisiva per la finale... il Vandalo se la sta facendo sotto!»

Chiudo la comunicazione e spero che il letto mi inghiotta senza avermi prima masticato.

Citofono. Suona il citofono. È per me. Chi può essere alle nove di sera? Silvia. Sicuramente Silvia ha ceduto ai ventitré messaggi che le ho mandato oggi, pentendomi ogni volta del precedente...

«Scendi.»

È lei.

«Mamma, scendo un attimo. È Silvia.»

Scendo, ma non c'è nessuna Silvia ad aspettarmi. Me la sono sognata la sua voce, tanto ero convinto che fosse lei. È il Sognatore. Merda. Ci mancava solo questa. Sicuramente è venuto a dirmi anche lui *sei un poco di buono senza spina dorsale*.

«Salve, prof, cosa ho fatto?» chiedo guardando un punto imprecisato sulla sua spalla sinistra.

Sorride.

«Ho deciso di passare a trovarti, magari ti andava di finire il discorso dell'altro giorno.»

Ecco, lo sapevo. I prof sono prof fino alla morte, devono farti la lezione anche sotto casa tua.

«Prof, lasciamo perdere il discorso dell'altra volta...»

Non so proprio da dove cominciare e vorrei che tutto questo finisse subito, come sempre quando qualcosa non mi piace. Tu cambi canale e quella scena non c'è più. Svanita, cancellata, finita.

«Andiamo a prendere un gelato.»

Mi sorride. Sì, ha detto così: *un ge-la-to*. I prof mangiano il gelato. Sì, i prof mangiano il gelato e si sporcano la bocca come fanno tutti gli altri. Queste sono due scoperte che non vanno dimenticate, magari un giorno le scrivo. A proposito:

«Il suo blog è bello, a volte un po' troppo filosofico, ma quando posso lo leggo.»

Il prof ringrazia continuando a leccare il suo gelato al pistacchio e al caffè – soliti gusti pallosi da prof – e mi ricorda Terminator che lecca le mie scarpe da tennis.

«Allora, cosa ti è successo l'altro giorno?»

Lo sapevo che non mollava la presa. I prof sono come i boa, ti si arrotolano attorno quando sei distratto, poi aspettano che butti fuori l'aria e stringono, e a ogni espirazione stringono di più, finché ti è impossibile allargare di nuovo la gabbia toracica e muori per asfissia.

«Ma a lei che gliene importa, prof?»

Il Sognatore mi guarda fisso negli occhi e a stento riesco a sostenere lo sguardo.

«Forse avevi bisogno di una mano, di un consiglio...»

Io rimango in silenzio. Con gli occhi bassi. Guardo l'asfalto come se ogni centimetro di bitume fosse diventato improvvisamente interessante. C'è qualcuno dentro di me che non aspetta altro, qualcuno che vuole uscire fuori, ma se ne sta là rintanato, si difende e ha paura di farsi vedere per quello che è, perché per uscire fuori coinvolgerebbe quell'altro con i capelli arruffati e lo sguardo da furbo e lo coinvolgerebbe con un bel po' di acqua e sale sotto forma di lacrime. Così continuo a fissare per terra per paura che quel qualcuno esca fuori come il dentifricio, troppo e tutto in una volta.

Il Sognatore aspetta in silenzio. Non ha fretta, lui, come tutti quelli che ti mettono in crisi. E io lo ripago con la stessa moneta.

«Cosa farebbe, prof, se la sua ragazza morisse?»

E lo guardo negli occhi questa volta. Il Sognatore mi squadra e rimane in silenzio. Smette di mangiare. Forse non ci aveva mai pensato. Forse c'è rimasto male. Ecco, così comincia a capire qualcosa e la smette con le sue teorie. Mi risponde che non lo sa e che probabilmente non sarebbe capace di reggere il peso di un evento simile.

Non lo sa. È la prima volta che il Sognatore non sa qualcosa. La prima volta che non è sicuro di sé e brillante come le vetrine del centro a Natale. Non lo sa.

«Ecco, prof, io invece ci sto passando e tutto il resto per me è diventato una cazzata.»

Il Sognatore comincia a guardare il cielo.

«Beatrice.»

Rimane in silenzio. Poi mi chiede se è la ragazza di cui si parla a scuola: la ragazza malata di leucemia. Abbasso la testa, quasi ferito da quelle parole, che purtroppo sono la verità: la ragazza malata di leucemia... Silenzio. Il silenzio degli adulti è una delle vittorie più grandi che si possano immaginare. Allora sono io che parlo.

«Non è davvero la mia ragazza, ma è come se lo fosse. Vede, prof, quando io le parlavo del mio sogno parlavo di Beatrice. Io so che, qualunque sia la mia strada, lei sarà la mia compagna su quella strada e io, se lei non è su quella strada, non so più dove andare.»

Il Sognatore continua a stare in silenzio. Mi mette una mano sulla spalla e non dice nulla.

«Lei adesso è pallida. Ha perso i suoi capelli rossi, i capelli che mi hanno fatto innamorare. E io non ho avuto neanche il coraggio di parlarle, di aiutarla, di chiederle come sta. L'ho vista così e sono scappato. Sono scappato come un vigliacco. Ero convinto di amarla, ero convinto di andare in capo al mondo con lei, ero pronto a fare qualsiasi cosa, ho persino donato il sangue, e poi quando me la trovo davanti scappo. Scappo come un codardo. Non la amo. Uno che scappa non ama davvero. Era piccola, era indifesa, era pallida, e io sono scappato. Faccio schifo.»

Le ultime parole rompono un muro di cemento armato che era salito lentamente dalla pancia sino alla gola e viene giù in frantumi all'altezza degli occhi, trasformandosi in lacrime pesanti e dolorose come pietre. Piango a dirotto con tutto il dolore che posso, perché mi fa bene, quasi come quando ho donato il sangue. Posso piangere e non so quando capiterà di nuovo, anche se mi sento uno stupido di proporzioni globali.

Il Sognatore rimane in silenzio accanto a me, con la sua mano forte sulla spalla. Mi sento un cretino. Sono un maschio di sedici anni e sto piangendo. Sto piangendo davanti al mio prof di storia e filo, con la bocca ancora sporca di gelato. Pazienza, ormai è andata. La diga è rotta e per il momento un milione di metri cubi di dolore si sta riversando sul mondo a causa mia, ma almeno non è più solo dentro di me.

Dopo avermi lasciato straripare per almeno un quarto d'ora (dietro il fuoco della rabbia si nasconde almeno il doppio di acqua salata...), il Sognatore rompe il silenzio che segue a un pianto, come il silenzio della sabbia dopo un temporale violento.

«Ti racconto una storia.»

Mi dice così e intanto mi offre un fazzoletto di carta (profumato alla vaniglia...).

«Un mio amico aveva litigato con suo padre. Gli voleva un gran bene, ma quella volta aveva perso la pazienza e lo aveva mandato al diavolo. La sera erano seduti a tavola e suo padre aveva tentato di parlargli, ma lui si era alzato ed era andato via senza una parola. Non voleva neanche ascoltarlo. Il mio amico si era sentito forte. Sentiva che aveva vinto, che aveva ragione. Il giorno dopo il posto del padre a tavola era vuoto. Suo padre aveva avuto un infarto. Così si erano lasciati. Senza una parola. Ma lui come poteva saperlo? Da quel giorno il mio amico non si dà pace per quell'errore, se ne vergogna come il peggiore degli assassini. E sai quale era il motivo per cui quel ragazzo non si perdonerà mai di avere rifiutato l'addio a suo padre?»

Scuoto il capo, mentre tiro sul con il naso.

«Perché il papà gli aveva detto in un momento d'ira che era un morto di fame, che aveva scelto un lavoro da morto di fame, benché lui avesse uno studio avviato di cui il figlio avrebbe tranquillamente potuto prendere possesso. Dimmi se non è qualcosa di cui vergognarsi e da cui fuggire?»

Ci metto un po' prima di rompere il silenzio seguito alla sua domanda.

«Come ha fatto il suo amico a superare quel momento, prof?»

Il Sognatore dà un calcio a una lattina abbandonata sul marciapiede, con rabbia.

«Convivendoci. Consapevole di essere anche questo, ma con la promessa a se stesso di non lasciarsi sfuggire neanche un'occasione di ricucire qualche rapporto che si è deteriorato per motivi più o meno importanti. Sempre si può fare qualcosa.»

Sto già meglio. Io, che di fronte a un errore vorrei che la vita avesse il tasto rewind. Invece la vita non ha quel tasto. La vita va avanti comunque, e suona che tu lo voglia o no, puoi solo alzare o abbassare il volume. E devi ballare. Meglio che puoi. Però in qualche modo adesso ne ho meno paura. I miei pensieri sono interrotti dal Sognatore.

«Tutti abbiamo qualcosa di cui vergognarci. Tutti siamo scappati, Leo. Ma questo ci rende uomini. Solo quando abbiamo tatuato sulla faccia qualcosa di cui ci vergogniamo cominciamo ad avere una faccia reale...»

«Lei piange, prof?»

Il Sognatore rimane in silenzio.

«Tutte le volte che sbuccio le cipolle.»

Scoppio a ridere, anche se la battuta fa pena. Tiro su con il naso e riesco a frenare le lacrime che restavano da piangere.

«È normale avere paura. Come è normale piangere. Non vuol dire essere vigliacchi. Essere vigliacchi è fare finta di nulla, voltarsi dall'altra parte. Fregarsene Ci credo che sei scappato. Ci credo che sei incazzato – *ha detto incazzato!* – con tutti e con te stesso. Ma questo è normale. Ma incazzandoti – *e sono due...* – non risolvi niente. Puoi incazzarti – *e tre!* – a oltranza, ma questo non guarisce Beatrice. Una volta ho letto in un libro che l'amore non esiste per renderci felici, ma per dimostrarci quanto sia forte la nostra capacità di sopportare il dolore.»

Pausa di silenzio.

«Ma io sono scappato! Io che dovrei essere capace di morire per lei pur di farla guarire!»

Il Sognatore mi fissa.

«Ti sbagli, Leo, la maturità non si vede nel voler morire per una nobile causa, ma nel voler vivere umilmente per essa. Rendila felice.»

Rimango in silenzio. Qualcuno dentro di me sta uscendo dalla caverna. Qualcuno che se ne stava lì nascosto, ferito e bisognoso di aiuto, forse finalmente si sta decidendo ad affrontare i dinosauri. In questo momento sto passando dall'età della pietra a quella del metallo. Non è un gran passo, ma almeno sento di avere qualche arma affilata contro i dinosauri della vita. La sensazione è più forte della corazza di ferro e fuoco che credevo di aver costruito con la mia rabbia. È una forza diversa, questo nuovo qualcuno aderisce alla mia pelle e la rende trasparente, forte, elastica.

«Si è fatto tardi» dice il Sognatore mentre faccio un salto evolutivo di almeno duemila anni.

Mi guarda dritto negli occhi.

«Grazie della compagnia, Leo. E grazie soprattutto di quello che mi hai regalato stasera.»

Non capisco.

«Regalare il proprio dolore agli altri è il più bell'atto di fiducia che si possa fare. Grazie per la lezione di oggi, Leo. Oggi il prof sei stato tu.»

Mi lascia lì come un babbeo inebetito. Mi dà già le spalle. Sono spalle esili, ma forti. Spalle di un padre.

Vorrei rincorrerlo e chiedergli chi è quel suo amico, ma poi mi rendo conto che ci sono cose che è meglio restino nell'incertezza... Ho gli occhi rossi di pianto, sono senza forze, svuotato, eppure sono il sedicenne più felice della Terra, perché ho una speranza. Posso fare qualcosa per recuperare tutto: Beatrice, Silvia, amici, scuola... A volte basta la parola di qualcuno che creda in te per rimetterti al mondo. Canto ad alta voce, non so bene che cosa. La gente che incrocio mi prende per pazzo, ma me ne frego e canto ancora più forte quando mi passa accanto qualcuno, per costringerlo a gioire con me.

Quando entro in casa cantando e con la faccia stravolta di pianto mia madre lancia un'occhiata stranita a mio padre, che scuote la testa e sospira. Ma perché i genitori pensano che stiamo bene solo quando sembriamo normali?

Primo: Silvia. Questa volta la vado a trovare di persona, senza sms del cavolo, vado di persona, la mia faccia con su scritto, anzi, tatuato "Sono un poveraccio, perdonami".

Faccio una cosa che non ho mai fatto: le compro un mazzo di fiori. Mi vergogno per tutto il tempo che rimango sotto la tettoia del chiosco a sceglierli, non ne capisco niente. Alla fine vada per le rose. In numero dispari, almeno quello l'ho imparato da una rivista della mamma. Compro tre rose bianche (è l'unica eccezione alla paura che ho del bianco) e vado sotto casa di Silvia. Citofono. Sua madre, probabilmente all'oscuro di tutto, mi apre. Qualcosa gira per il verso giusto. Salgo.

Entro nella camera di Silvia, lei sta ascoltando la musica con le cuffie e non mi ha sentito arrivare. Alza lo sguardo e si ritrova tre occhi bianchi che la guardano e le chiedono scusa. Rimane interdetta. Estrae gli auricolari e mi guarda con durezza, poi annusa le rose. Quando rialza lo sguardo i suoi occhi azzurri sorridono. Mi abbraccia e mi dà un bacio sulla guancia. Non un bacio qualunque, ma un bacio di quelli che sulle labbra di chi te lo dà hanno qualcosa di più di quando saluti una persona. E lo senti quel calore in più, resta appiccicato alla guancia. L'ho capito da come ha indugiato un attimo prima di staccare le labbra. Non ha detto una parola. Io dico solo: «Scusa». E lo dico a parole, senza rischi che il T9 lo trasformi in "paura", anche se un po' di paura ce l'ho. Ma Silvia mi vuole bene e quando qualcuno ti vuole bene "scusa" non è mai "paura".

Sono felice, così felice che le rose bianche mi sembrano quasi tinte di rosso, come quelle di *Alice nel paese delle meraviglie*. "Di rosso le tingerem, rosse noi le tingiam..." canto dentro di me, come un bambino che si tuffa in una piscina di nutella.

Il gesso al braccio l'ho tolto già da un po', ma a quanto pare il cervello m'è rimasto ingessato... non si muove. Per questo studio insieme a Silvia. Solo lei può aiutarmi a recuperare i giorni perduti, non vorrei rovinarmi l'estate con i debiti. Insieme a Silvia sono forte. Sono felice. Ma quando penso a Beatrice continuo a perdermi. Dopo l'ennesima volta in cui Silvia mi deve riportare sulla Terra da uno dei miei viaggi sulla luna, si alza e prende qualcosa da un quaderno che tiene in camera sua, uno di quei diari dove le ragazze scrivono i loro pensieri.

In questo le ragazze sono migliori di noi, almeno, Silvia è sicuramente migliore di me, perché le ragazze le cose importanti le scrivono sui loro diari. Tutte le volte che scoprono una cosa importante la scrivono, così in qualsiasi momento possono rileggerla e ricordarla.

Io ho un sacco di cose importanti che vorrei ricordare, ma poi non le scrivo mai, perché sono pigro. E quindi le dimentico e faccio sempre gli stessi errori, lo so, ma non voglio mettermi giù, con il sedere su una sedia, incollarlo alla sedia. Ecco cosa vuol dire avere le capacità ma non applicarle. Avere un sedere e non starci mai seduto sopra, che poi è il senso del sedere... Se avessi scritto tutto ciò che ho scoperto, chissà quante cose non avrei bisogno di imparare ogni volta. Credo che più che un diario ne verrebbe fuori un romanzo. Credo che potrebbe piacermi fare lo scrittore, ma non so bene come si comincia e poi mi scoraggio subito, perché quando provo a pensarci le trame non mi vengono mai. Comunque sia, Silvia aveva uno di quei diari che ti servono a ricordare le cose. E in una pagina di quel diario c'è un foglio.

«Ecco, questa è la brutta della lettera che avevamo scritto per Beatrice.»

In quel momento la mia anima si ricompone. Come per una specie di miracolo, tutti i pezzi di carta che il fiume aveva inghiottito con la mia rabbia e vigliaccheria sono lì davanti a me, ricomposti da un miracolo di Silvia, che ha conservato quelle parole

«Perché l'hai conservata?»

Silvia non risponde subito, gioca con il bordo del foglio quasi ad accarezzarlo. Poi senza guardarmi sussurra che quelle parole le piacevano, le piaceva rileggerle e avrebbe voluto che un giorno il suo ragazzo le dedicasse parole così belle. Silvia mi fruga negli occhi, e per la prima volta io la guardo dentro gli occhi.

Ci sono due modi per guardare il volto di una persona. Uno è guardare gli occhi come parte del volto. L'altro è guardare gli occhi e basta, come se fossero il volto. È una di quelle cose che mettono paura quando le fai. Perché gli occhi sono la vita in miniatura. Bianchi intorno, come il nulla in cui galleggia la vita, l'iride colorata, come la varietà imprevedibile che la caratterizza, sino a tuffarsi nel nero della pupilla che tutto inghiotte, come un pozzo oscuro senza colore e senza fondo. Ed è lì che mi sono tuffato guardando Silvia in quel modo, nell'oceano profondo della sua vita, entrandoci dentro e lasciando entrare lei nella mia: gli occhi. Ma non ho retto lo sguardo. Invece Silvia sì.

«Se vuoi la riscriviamo e la porti a Beatrice. Se vuoi ci andiamo insieme.»

Silvia è riuscita a leggere i miei pensieri.

«È l'unico modo perché io possa farlo» le dico con un sorriso tanto ampio che i margini della bocca toccano gli occhi.

Poi ci siamo messi a studiare, e quando Silvia ti spiega le cose tutto diventa più facile: la vita diventa più comprensibile.

Il Sognatore m'interroga. Ho preparato l'interrogazione con Silvia. Tutti si aspettano un duello all'ultimo sangue dopo la schermaglia che abbiamo avuto l'altro giorno, ma nessuno, tranne Silvia, sa che di mezzo c'è un gelato e un milione di metri cubi di lacrime. Andrà tutto liscio. Ormai con il Sognatore siamo amici. Invece mi fa delle domande difficilissime, gli pianto gli occhi addosso e gli dico:

«Ma questo non c'è sul libro.»

Lui, senza scomporsi, risponde:

«E allora?»

Io rimango in silenzio. Lui mi guarda serio e poi mi dice che mi faceva più intelligente, invece sono il solito studente che ripete le cose a memoria e alla prima domanda un po' diversa si perde.

«Le risposte importanti sono scritte tra le righe dei libri e devi essere tu capace di leggerle!»

Chi cazzo sei, Sognatore, per rovinarmi la vita e credere di saper tutto e pensare che me ne freghi qualcosa di come vedi le cose? Sei tu che le vedi così, e solo tu. Adesso smettila di rompermi i coglioni con le tue balle spaziali e fammi un'interrogazione uguale agli altri. Sto per mandarlo a quel paese e andarmene a posto e lui mi dice:

«Scappi?»

Allora io ripenso a Beatrice e alla fuga dall'ospedale. Dentro di me succede qualcosa, sbuca fuori dalla caverna l'uomo in cui mi ero evoluto qualche sera fa. E allora gli rispondo. Non con le parolacce dei bambini capricciosi. Gli rispondo come fa un uomo. Prendo nove, per la prima volta in vita mia. E quel voto non riguarda la storia. Quel voto riguarda la mia storia, la mia vita.

Beatrice è tornata a casa. Il trapianto di midollo non è andato bene. Il tumore non guarisce e il suo sangue, rosso, continua a trasformarsi: bianco dentro le sue vene. C'è uno dei serpenti più velenosi del mondo che è in grado di farti morire fra atroci sofferenze con il suo veleno. Un veleno capace di sciogliere i tessuti delle vene. Cominci a perdere sangue dal naso e dalle orecchie, tutte le vene si liquefanno fino a consumarti.

Questo è quello che sta succedendo a Beatrice. Beatrice, la creatura più meravigliosa che esista sulla faccia della Terra. Beatrice, che ha solo diciassette anni e i capelli rossi più belli che la storia ricordi. Beatrice, le due finestre verdi più luminose della galassia. Beatrice, una creatura che esiste per la sua bellezza, per mostrarla al mondo e migliorarlo con la sua sola presenza.

Beatrice è avvelenata da questo maledetto serpente bianco che se la vuole portare via. Perché tutta questa bellezza sprecata? Per farci soffrire di più. Beatrice, ti prego, resta. Dio, ti prego, lasciami Beatrice. Altrimenti il mondo diventa bianco.

E io resto senza sogni.

Oggi rivedo Niko. Mi è tornato in mente lo sfidone degli hamburger che abbiamo fatto una volta: chi mangia più hamburger di Mac. È finita tredici a dodici per Niko. Entrambi abbiamo vomitato per tre ore di fila, dopo. Non sono mai stato così male in vita mia. Tutte le volte che ce lo ricordiamo abbiamo le convulsioni dal ridere. Per questo adesso da Mac prendiamo sempre i bocconcini di pollo.

Niko.

Mi è tornato in mente perché Niko mi ha lanciato lo sfidone dei goal: vince chi segna più goal alla partita di calcio di oggi contro quelli di seconda C, la squadra si chiama Vitamina C e ne avrebbero veramente bisogno... Basterà vincere questa partita per raggiungere la squadra del Vandalo e veleggiare tranquilli verso la finale del torneo. C'è un piccolo, insignificante problema: io non dovrei ancora giocare a calcio...

In questi casi c'è un'unica soluzione. Diventare l'uomo invisibile. Radio accesa, porta chiusa, passo felpato e fuga silenziosa verso il campo di calcetto. Se i miei mi beccano sono finito. Questa volta me lo rompono loro il braccio e anche una gamba... ma almeno la partita me la gioco, e se segno un bel po' di goal mi rimetto in sesto per la classifica cannonieri. Devo almeno finire sopra al Vandalo.

E allora eccomi qua, con le mie scarpe da calcetto fiammanti, che carezzano l'erba di terza generazione come fosse la guancia di una ragazza. Di nuovo in campo con Niko. Lui non sa tutto quello che mi è successo in queste settimane, non gli racconto tutto come a Silvia. Non c'è bisogno. O forse mi vergogno. Però sul campo siamo sempre i migliori. Tutti e due da piccoli volevamo essere come i gemelli Derrick, quelli della catapulta infernale di "Holly e Benji", ma nessuno dei due aveva un gemello. Così, quando ci siamo conosciuti a scuola, abbiamo capito che uno era per l'altro il gemello che stava aspettando. Non abbiamo mai imparato a fare la catapulta infernale, ma una volta ci abbiamo provato: io ho rimediato un livido apocalittico e Niko ha sbattuto la faccia contro il palo...

Sullo stretto però siamo capaci di triangolare come nemmeno Pitagora con il suo teorema poteva immaginare. Stravinciamo. Segno cinque goal. Siamo a pari punti con la squadra del Vandalo e io sono di un goal dietro a lui nella classifica cannonieri. Non poteva andare meglio. Mi rivesto in fretta per tornare a casa senza farmi vedere. Niko mi ferma

«Ho la donna.»

Me lo dice di punto in bianco, togliendosi la maglia dei Pirati, e la notizia si mescola alla puzza del suo sudore.

«Si chiama Alice, è di quarta ginnasio, sezione H.»

Faccio mente locale per visualizzare le ragazze di quarta, ma non mi viene in mente nessuna Alice.

«Non la conosci. I suoi sono amici dei miei e io non lo sapevo. Me la sono ritrovata a casa una sera a cena.»

Sono curioso di sapere com'è.

«È proprio una figa. Alta, capelli lunghi neri, occhi neri. Fa anche atletica, gare di velocità. La dovresti vedere. Quando vado in giro con lei tutti si voltano a guardarci.»

Io ammutolisco. Non riesco a gioire di questa notizia. Niko è troppo intento a pensare al suo passaggio per strada con questa strafiga accanto e troppo preso dalla vittoria per rendersi conto che fingo di essere incuriosito e contento. Vengo catapultato nella stanza d'ospedale dove la ragazza più bella del mondo è rannicchiata come una bambina ferita e tutta la sua bellezza è stata consumata dal veleno di un serpente e quella bellezza non solo non sarà mia, ma non sarà.

«Sono contento per te.»

Niko vuole presentarmela quanto prima. Io gli rispondo meccanicamente di sì, in realtà spero di non vederla mai, questa Alice.

«Hai visto il nuovo Fifa? Dobbiamo assolutamente craccarlo.»

Annuisco con un sorriso forzato, mentre vedo Niko risucchiato dall'età della pietra e nel paese delle meraviglie di Alice.

«Già, assolutamente...»

È l'unica cosa che riesco a dire. E l'unica "fifa" che ho presente è la fifa nera di perdere Beatrice. Non sono mai stato così solo dopo una vittoria con la mia squadra di Pirati.

«... è questione di vita o di morte...»

«Dài, Leo, non esagerare, è solo un videogioco, in fondo! Io scappo, Alice mi aspetta. A domani.»

«A domani.»

Inserisco le chiavi come un ladro.

La porta si schiude lentamente. Nessuno in vista. Sento la musica della radio che va a ruota libera. Riconosco la voce di Vasco che ripete: "Voglio una vita spericolata, voglio una vita come quelle dei film" e mi sembra uno scherzo di cattivo gusto. Richiudo la porta. La mamma non mi ha sentito, ma a quel punto Terminator comincia ad abbaiare come un pazzo in preda alla pressione della sua vescica, che entra in fibrillazione tutte le volte che mi vede aprire o chiudere una porta. La mamma compare richiamata dal casino e io sono lì, con la tuta e lo zaino, e Terminator che mi girella attorno con i suoi sussulti goffi e abbaianti.

«Che ci fai lì? Non eri in camera a studiare?»

Leo, respira: qui ti giochi tutto.

«Sì, ma mi sono preso una pausa, ho portato Terminator a pisciare...»

L'unica scusa che possa salvarmi...

Mamma mi guarda come un poliziotto nell'interrogatorio di un film americano.

«E com'è che puzzi così?»

«Ne ho approfittato per fare una corsetta. Non ce la faccio più a studiare e basta... scusami mamma, dovevo avvertirti prima, ma Terminator aveva una crisi... sai com'è fatto!»

La mamma rilassa il viso. E io mi involo verso la stanza, dove Vasco sta urlando: "Che se ne frega di tutto sìì", prima che la mia faccia tradisca la bugia e Terminator dimostri, con i fatti, che nessuno ha portato a spasso la sua incontinente vescica...

Lunedì. Sono le otto meno cinque. Mi aspetta una giornata di cinque ore, con il compito di inglese a metà. Una specie di gigantesco cheeseburger con in mezzo una fetta di marmo. In lontananza vedo Niko con Alice, che effettivamente non passa inosservata. Non mi hanno notato. Non ce la faccio a incontrarli, sono troppo felici.

Mi defilo e mi nascondo dietro un gruppo di seconda che, con la "Gazzetta" alla mano, controlla le pagelle dei giocatori per calcolare i risultati del Fantacalcio. Ultimamente il calcio lo seguo di meno. Sono preso da tutte queste cose che mi stanno capitando, non ho il tempo di guardare qualsiasi trasmissione possibile e immaginabile e tutte le partite di ogni campionato mai inventato sulla faccia di un rettangolo di erba verde.

Comunque sia, l'immagine di Niko e Alice così felici è troppo forte per me stamattina e cinque ore di tortura aggraverebbero la situazione. Ritorno in strada e imbocco una via laterale poco frequentata, rischio meno incontri ravvicinati di ogni tipo, dal primo al terzo e oltre. Chissà perché quando decidi di non entrare a scuola inevitabilmente incontri persone che non vedevi da secoli, in particolare le amiche di mamma, con le quali, guarda caso, lei prenderà un tè quel pomeriggio.

163

Ma come è cresciuto tuo figlio, è diventato proprio un bel ragazzo... l'ho incontrato stamattina al parco verso mezzogiorno..

A parte che per le amiche delle madri tutti diventano *bei ragazzi*, in ogni caso mamma sta al gioco, minimizza, finge di inorgoglirsi di quel farabutto che a mezzogiorno dovrebbe stare con il sedere incollato a una sedia verde a scuola e non certo spaparanzato sulla panchina rossa di un parco...

Stop alle seghe mentali: il dado è tratto e date a Cesare quel che è di Cesare, come disse Cesare, almeno credo. Sento in lontananza la campanella che suona come le campane di un funerale. E io non voglio morire. Ogni passo che mi allontana dalla scuola apre una voragine di paura e trasgressione che obbliga l'asfalto a inghiottirmi. Ma perché andare a scuola è così difficile? Perché dobbiamo fare delle cose quando siamo impegnati a risolverne delle altre vitali? E perché mi viene incontro la prof di inglese proprio su questa strada, la meno frequentata del quartiere?

Faccio appena in tempo a tuffarmi sulle mie scarpe da tennis fingendo di allacciarle dietro un SUV, che mi offre un riparo sufficiente; con la coda dell'occhio vedo la prof che si affretta perché anche lei è in ritardo, ed è tanto impegnata a cercare qualcosa nella borsa da non fare caso alla mia presenza e superarmi. È andata! Respiro di sollievo, e un attimo dopo mi accorgo che ho compiuto il finto allaccio di scarpe sulla merda mattutina e fumante di un Terminator qualunque...

Giornata fortunata!

Quando fai sega a scuola ti senti un ladro. E i ladri dove vanno a rifugiarsi dopo un colpo? Nel loro covo. Il mio covo è la panchina rossa sperduta nel parco accanto al fiume – quella della mia prima notte da barbone –, sotto un immenso albero con i rami bassi e contorti, che sembra un ombrello con un milione di raggi.

Su quella panchina, protetto da quell'ombrello, ho conquistato milioni di stupende ragazze, risolto i problemi più spinosi dell'umanità, sono diventato un supereroe mascherato e ho divorato confezioni familiari di patatine al gusto grigliata, che poi sono le mie preferite. Il tempo lì sotto scorre rapidissimo, superando l'acqua placida del fiume. In quella panchina è nascosto il segreto del tempo e tutti i sogni possono diventare realtà.

E allora oggi è la giornata giusta per applicarsi (ogni tanto mi applico, ma come dico io...) sulla mia panchina di legno, sotto la protezione dell'albero-ombrello. Metto lo zaino in un angolo e mi distendo con le gambe piegate. Il cielo è azzurro solo a tratti, nuvole bianchissime lo attraversano. Non sono nuvole di pioggia, ma nuvole fresche di mare. Questo rende l'azzurro ancora più intenso. Il mio sguardo s'intrufola tra i rami dell'ombrello e mescolato al colore delle foglie ovali raggiunge il cielo e su quel cielo vedo stampata l'immagine della mia felicità: Beatrice. Nessuno presta attenzione al cielo, fino a che non si innamora. Le nuvole diventano rosse e sono i suoi capelli che fluiscono per migliaia di chilometri, coprendo il mondo di un dolce mantello morbido e fresco.

Devo salvare Beatrice, fosse l'ultima cosa che faccio, e sono nel posto giusto. Solo su questa panchina i sogni si avverano e così mi addormento nel silenzio del parco, come l'ultimo barbone felice dopo una sbronza di vino rosso. Se avessimo il tempo e la panchina giusta la felicità sarebbe garantita. Ma purtroppo qualcuno ha inventato la scuola dell'obbligo.

Qualcosa che mi sfiora la gamba mi risveglia dal torpore, faccio un balzo pensando si tratti di qualche schifosa cavalletta caduta giù da un ramo. In realtà è solo il cellulare. Messaggio: "La prof di inglese ha detto che ti ha visto stamattina e in classe non ci sei. Mi sa che sei nella merda. Giak". E ci gode il bastardo. Sono davvero nella merda! Ma è possibile che sia così difficile essere felici e la volta che stai cercando di risolvere definitivamente il problema qualcuno te lo impedisce? Perché Silvia non mi ha mandato un messaggio? Ormai è andata.

Scrivo un sms a nessuno, giusto per chiarirmi le idee. Io scrivo milioni di sms che non mando, mi aiutano a riflettere. "Sono nel mio sogno." Ancora una volta il T9 mi sorprende. La parola precedente all'inserimento della seconda "o" di "sogno" che appare sul display è "rogo". "Sono nel mio rogo."

La panchina potrebbe trasformarsi da un momento all'altro in un rogo, appiccato da tutte le persone schifate dalle mie eresie sulla vita, come si faceva nel Medioevo. Mi legherebbero al legno di quella panchina e mi darebbero fuoco sotto questo cielo meraviglioso, accusandomi di essere un vigliacco, un pauroso, un fuggitivo, un nullafacente, *un lavativo*. E il mio sogno evaporerebbe in fumo. Ma proprio per questo devo proteggerlo. Devo proteggerlo dal rogo dei miei geni- tori e dei prof, degli invidiosi, dei nemici. Il legno di questa panchina oggi vale molto di più del legno del mio banco scarabocchiato.

Non ho saltato la scuola perché sono *un lavativo*, ma perché prima devo risolvere un problema più impor- tante, quello della felicità. L'ha detto anche il Sogna- tore: "L'amore non esiste per renderci felici, ma per dimostrarci quanto sia forte la nostra capacità di sop- portare il dolore".

Già, dirò proprio così ai miei, quando mi metteran- no al rogo della meritata punizione. Volevo solo ama- re. Tutto qui. Voglio guarire da qualsiasi droga: pigri- zia, PlayStation, YouTube, i Simpson... Potete capirlo?

Tiro fuori il mio coltellino e comincio a incidere qual- cosa sul tronco dell'albero vicino. Mentre lo faccio mec- canicamente penso alla mia prossima mossa, la mossa per dare scacco matto al destino, la mossa per essere felice. Ogni tanto guardo il cielo e le mie dita si soffer- mano sulle rughe secolari di quell'albero che è forte, che è saldo, che è felice nel cuore di quel parco. È un albero e fa l'albero: affonda le sue radici nell'acqua del fiume vicino e cresce. Segue la sua natura. Ecco il se- greto della felicità: essere se stessi e basta. Fare quel- lo che si è chiamati a essere. Vorrei la forza di quell'al- bero, ruvido e duro all'esterno, vivo e tenero dentro, dove scorre la linfa. Non ho il coraggio di andare da Beatrice. Ho paura. Ho vergogna. Ho me stesso, e non basta, non basta mai. Continuo a incidere la corteccia, senza pensare...

«Che stai facendo?»

Non guardo neanche il viso della guardia e rispondo: «Una ricerca di scienze...»

«Ma se non l'hai mai studiata!»

Non è la voce di una guardia. Mi giro: «Silvia?»

Lei mi guarda con occhi che non conosco. Silvia è

bravissima a scuola, mai impreparata, mai saltato un giorno se non per malattia grave come lo scorbuto o la lebbra, e non generica indisposizione del termometro riscaldato sulla lampadina, come faccio io. Silvia è lì, davanti a me. Silvia sta facendo sega a scuola con me e a causa mia. Silvia verrebbe a prendermi all'inferno pur di farmi felice. Silvia è un angelo azzurro. Lo sapevo. O forse è un angelo con le sembianze di Silvia che mi punirà con la sua spada di fuoco per aver fatto sega a scuola.

«Allora? Avevamo un patto noi due. Dobbiamo andare insieme da Beatrice. Quando ti ho visto fuggire stamattina ho capito che venivi qua.»

Le faccio spazio sulla panchina dove i sogni si avverano.

«Anche tu? Oggi mi hanno visto tutti, ma per caso mi hanno preso al "Grande Fratello" e non lo so?»

Silvia sorride. Poi fissa la corteccia dell'albero: il tronco è ferito dal mio coltellino con una formula matematica: $F = B + L$. Rimane seria, per un attimo contrae il viso, una smorfia di dolore. Svanisce subito, però, e lei dice:

«Allora, andiamo a risolvere l'equazione della felicità?»

Silvia è la linfa del mio coraggio, nascosta ma viva, mi dà la forza per superare i miei limiti. Le prendo la mano.

«Andiamo. Oggi non ci sarà nessun rogo. Solo sogni.»

Silvia mi guarda atteggiando la faccia a punto interrogativo.

«Niente, niente. Prodigi del T9...»

Sotto casa di Beatrice sono colto dalla sindrome delle cavallette: come nei *Blues Brothers*, qualsiasi scusa è buona per scappare. Ma Silvia è inflessibile. Mi stringe forte la mano e saliamo. Ci hanno aperto e ci siamo trovati nel soggiorno, seduti di fronte alla signora dai capelli rossi che avevo visto la prima volta all'ospedale e poi nella foto: la mamma di Beatrice. Conosce Silvia, ma non me. Per fortuna. Ci dice che Beatrice dorme. È molto stanca. Le sue forze sono diminuite ultimamente.

Io le racconto della donazione del sangue, dell'incidente e di tutto il resto. La signora è una signora dalla voce calma, il suo viso è stanco e invecchiato dall'ultima volta e la giovinezza della foto sembra rimasta sulla carta fotografica. Ci offre da bere. Io, come sempre in questi casi, non so che fare e accetto. Parlandole mi sembra di vedere Beatrice quando sarà adulta. Beatrice sarà ancora più bella della madre, che è una donna meravigliosa.

Mentre va a prendere qualcosa da bere io cerco di memorizzare tutti gli oggetti della casa. Tutte le cose che Beatrice vede e tocca ogni giorno. Un vaso a forma di bicchiere, una fila di elefantini di pietra, un quadro di una marina scintillante, un tavolo di vetro con sopra una boccia piena di pietre ovali colorate e iridescenti. Ne prendo una: ha tutte le sfumature del blu, dall'alba alla notte fonda. Me la metto in tasca, sicuro che lei l'avrà toccata. Silvia mi fulmina con lo sguardo azzurro dei suoi occhi. La mamma di Beatrice ritorna.

«Ma come mai non siete a scuola, oggi?»

Silvia tace. Tocca a me:

«La felicità.»

La signora mi guarda stranita.

«Beatrice è il paradiso per Dante. E così siamo venuti a trovarla.»

Silvia scoppia a ridere. Io rimango serio e divento rosso, quasi viola. Però quando vedo ridere la mamma di Beatrice comincio a ridere anche io. Non mi sono mai sentito così ridicolo e contento allo stesso tempo. La signora sorride con una dolcezza che raramente ho visto sul volto di un adulto: solo mamma sorride così. Sorridono anche i suoi capelli color rame, a tratti luminoso, a tratti spento. Si alza.

«Adesso chiamo Beatrice, vediamo se ce la fa.»

Rimango fermo, pietrificato dal terrore. Ora capisco cosa stiamo facendo effettivamente. Sono in casa di Beatrice e le sto per parlare a tu per tu per la prima volta. Le gambe non tremano, sventolano come una bandiera, e la saliva si è ritirata tutta da qualche parte, lasciandomi in bocca un Sahara in miniatura. Butto giù un sorso di Coca, ma la lingua rimane secca come la legna del camino.

«Venite.»

E io non sono per niente pronto. Mi sono vestito a caso. Ho solo me stesso, e non credo che basti. Non basto mai. Però c'è Silvia.

Mi trovo faccia a faccia con il sorriso di Beatrice. È un sorriso stanco, ma un sorriso vero. La madre è uscita, chiudendosi dietro la porta. Io mi siedo di fronte al letto, Silvia sulla punta del letto. Beatrice ha un sottile strato di capelli rossi che la rendono simile a un militare, ma è sempre un perfetto mix di Nicole Kidman e Liv Tyler. I suoi occhi verdi sono verdi. Il suo viso tirato, ma delicato e pieno di pace, con gli zigomi dolci e il taglio elfico degli occhi. Tutta la sua figura è una promessa di felicità.

«Ciao Silvia, ciao Leo.»

Sa il mio nome! Glielo avrà detto sua madre, oppure ha riconosciuto in me l'autore dei messaggi sul cellulare. Adesso penserà che la perseguito, che sono quello sfigato che ci provava con gli sms. Comunque sia ha pronunciato il mio nome, e quel "Leo" uscito dalle labbra di Beatrice sembra diventare improvvisamente reale. Silvia le prende la mano e rimane in silenzio. Poi dice:

«Ti voleva conoscere, è un mio amico.»

Stavo per mettermi a piangere dalla felicità. Le labbra si muovevano sole, pur non sapendo cosa dovessero dire:

«Ciao Beatrice, come stai?»

Che domanda del cazzo! Come vuoi che stia, cerebroleso?!

«Bene. Solo un po' stanca. Sai, le cure sono pesanti e mi tolgono le forze, ma io sto bene. Volevo ringraziarti per avermi donato il sangue. Mia madre mi ha detto tutto.» Allora è vero che il mio sangue nutre i capelli rossi di Beatrice. Sono felice. Sono felicissimo. I radi capelli rossi che le stanno ricrescendo sono merito del mio sangue. Il mio amore rossosangue. La penso così tanto questa cosa che mi scappa un'assurdità:

«Sono felice che il mio sangue possa scorrere nelle tue vene.»

Beatrice si libera in un sorriso da far scongelare in un attimo un milione di Bastoncini Findus e il mio cuore raddoppia il numero di battiti, tanto che le orecchie mi diventano calde e credo anche rosse. Io le chiedo subito scusa. Ho detto una frase assurda e senza alcun tatto. Che stupido! Voglio sparire nel buio di quella stanza di cui non ho ancora messo a fuoco nulla, tanto sono concentrato sul viso di Beatrice: il centro della circonferenza della mia vita.

«Non preoccuparti. Io sono contenta di avere il tuo sangue nel mio cuore. Oggi quindi non siete andati a scuola per venire da me... grazie. Da quanto tempo non vengo a scuola, mi sembra tutto così lontano...»

Ha ragione. In confronto a quello che sta passando lei la scuola è una passeggiata. Possibile che a sedici anni sei convinto che la vita sia la scuola e la scuola sia la vita? Che l'inferno siano i prof e il paradiso i giorni di vacanza? Che i voti siano il giudizio universale? È possibile che a sedici anni il mondo abbia il diametro del cortile della scuola?

Gli occhi verdi le guizzano nel volto di perla come fuochi nella notte, tradendo una vita zampillante dentro di lei, come fosse una fonte di montagna, nascosta e silenziosa e piena di pace.

«Vorrei fare un sacco di cose, ma non posso. Sono

troppo debole, mi stanco subito. Sognavo di imparare lingue nuove, di viaggiare, di suonare uno strumento... Nulla. Tutto è andato in frantumi. E poi i miei capelli... mi vergogno a farmi vedere così. Mamma mi ha dovuto convincere per farvi entrare. Ho perso anche i capelli, la cosa più bella che avevo. Ho perso tutti i miei sogni, come i miei capelli.»

Io la guardo e non so cosa dire, di fronte a lei sono diventato una goccia d'acqua che evapora al sole di agosto e le mie parole inutili sono solo il respiro che si perde nell'aria. E infatti puntuale e inopportuno come la campanella di scuola dico:

«Ricresceranno, e così tutti i tuoi sogni. Uno a uno.»

Sorride stancamente, ma le labbra le tremano.

«Lo spero, lo spero con tutto il cuore, ma sembra che il mio sangue non ne voglia sapere di guarire. Marcisce sempre.»

Una perla a forma di lacrima sgorga dall'occhio sinistro di Beatrice. A quel punto Silvia le dà una carezza sul viso, raccoglie la lacrima come fosse sua sorella. E un istante dopo esce anche lei dalla stanza. Resto solo con Beatrice, che socchiude gli occhi, stanca e preoccupata per la reazione di Silvia.

«Mi spiace. A volte uso parole troppo forti.»

Beatrice si preoccupa per noi e dovrebbe essere il contrario. Sono solo con lei e adesso le devo confidare il segreto della sua guarigione. Io sono la tua guarigione, Beatrice, e tu la mia. Solo quando lo sapremo entrambi e saremo d'accordo allora tutto sarà possibile, per sempre. Mi concentro per dirle che la amo, prendo la rincorsa da dentro, come se il mio corpo fosse una pista di atletica, ma mi sento al muro. Ti amo, ti amo, ti amo. Sono solo due più tre lettere, ce la posso fare. Beatrice mi vede combattuto.

«Non bisogna avere paura delle parole. Questo è quello che ho imparato con la malattia. Le cose bisogna chiamarle con il loro nome, senza paura.»

Per questo voglio dirti, per questo sto per dirti... per questo sto per urlarti che ti amo.

«Anche se quella parola è morte. Io non ho più paura delle parole, perché non ho più paura della verità. Quando c'è in ballo la tua vita non ne puoi più di giri di parole.»

Ed è per questo che devo dirle tutta la verità, adesso. La verità che le darà la forza per guarire:

«C'è una cosa che vorrei dirti.»

Mi sento uscire queste parole dalla bocca e non so da dove io abbia tirato fuori quella frase o chi abbia avuto il coraggio di pronunciarla. Non so quanti "Leo" ci siano dentro di me, prima o poi dovrò sceglierne uno. O magari faccio scegliere a Beatrice quello che le piace di più.

«Dimmi.»

Rimango in silenzio per un minuto. Il Leo che aveva avuto il coraggio di pronunciare la prima frase si è subito nascosto. Adesso dovrebbe dire "ti amo". Lo trovo nascosto in un angolino buio, con le mani davanti al viso, come se qualcosa di mostruoso stesse per aggredirlo, e lo convinco a parlare. Dài Leo, esci fuori da lì, come il leone che esce dalla boscaglia. Ruggisci!

Silenzio.

Beatrice aspetta. Mi sorride per incoraggiarmi e poggia una mano sul mio braccio:

«Che succede?»

Il tocco di lei si trasforma in un fiotto di sangue e parole:

«Beatrice... io... Beatrice... ti amo.»

Sul mio volto si dipinge la tipica espressione da interrogazione di matematica, in cui vai a tentativi e speri che la prof con un cenno faccia capire se stai sbagliando o no, per tornare indietro come se non avessi detto nulla. La mano di Beatrice, fragile e pallida come la neve, è posata sulla mia simile a una farfalla, tiene gli occhi chiusi per qualche istante, poi respira più profondamente e aprendoli dice:

«È bello che tu lo dica, Leo, ma non so se hai capito: io sto morendo.»

Quell'ammasso appuntito di sillabe come un uragano di spade mi lascia nudo davanti a Beatrice, nudo, ferito e senza difese.

«Non è giusto.»

Lo dico come chi si sta risvegliando da una lunga notte ed è nel pieno di un sogno, quando ancora è incapace di distinguere reale e notturno. Ho appena sussurrato, ma lei ha sentito.

«Non è questione di giustizia, Leo. Purtroppo è un fatto, e questo fatto è capitato a me. Il punto è se io sono pronta o no. E prima non lo ero. Adesso, forse, lo sono.»

Non la seguo più, non capisco le sue parole, dentro di me qualcosa si ribella e non voglio ascoltare. Il mio sogno mi riporta alla realtà? Il mondo si è decisamente capovolto. Da quando in qua i sogni ti fanno vedere la realtà? Qualcosa di invisibile mi sta bastonando e resto senza difese.

«Tutto l'amore che ho sentito intorno a me in questi mesi mi ha cambiata, mi ha fatto toccare Dio. A poco a poco sto smettendo di avere paura, di piangere, perché credo che chiuderò gli occhi e mi risveglierò vicino a lui. E non soffrirò più.»

Non la capisco. Anzi, mi fa proprio arrabbiare. Io scalo le montagne, attraverso i mari, mi immergo nel bianco fino al collo e lei mi rifiuta così. Ho fatto di tutto per averla e quando ce l'ho a portata di mano scopro che è lontanissima. Le mie dita si contraggono in un pugno, le corde vocali si tendono per urlare.

Beatrice si avvicina e mi prende le mani contratte, che si sciolgono, mentre le corde vocali si rilassano. Ha le mani calde, e io sento la vita uscirmi dalle dita quando carezzano le sue, come se attraverso le mani potessimo scambiarci le anime o le anime non trovassero più i confini entro cui contenersi. Poi lei lascia le mie mani delicatamente, dando il tempo all'anima di rientrare nel suo involucro, e la sento salpare di nuovo, lontana da me, verso un porto che non conosco.

«Grazie della visita Leo, adesso devi andare. Mi spiace, ma sono molto stanca. Però mi farebbe piacere che tornassi a trovarmi. Ti do il mio numero di cellulare, così mi avverti se vieni. Grazie.»

Sono talmente confuso e gelato che agisco senza pensare. Faccio finta di niente, anche se in verità il suo numero ce l'ho già, ma quando lei me lo detta mi accorgo che è diverso da quello che mi ha dato Silvia tempo fa. Non posso fare domande, ma adesso si spiegano tutti i messaggi senza risposta. Allora Beatrice non pensa che io sia uno sfigato e il suo silenzio non era voluto! Ho ancora qualche speranza. Forse Silvia si è sbagliata, forse aveva anche lei il numero sbagliato, oppure io sono riuscito a scriverlo male. Ho una memoria per i numeri che nemmeno mia nonna di novant'anni. Mi chino e la bacio sulla fronte. La sua pelle sottile ha un profumo di sapone semplice, senza dolcegabbana o calvinklein. Il suo profumo e basta. Beatrice e basta. Senza coperture.

«Grazie a te.»

Con un sorriso mi lascia, e quando mi giro verso la porta sento alle mie spalle una vertigine bianca che vuole masticarmi e inghiottirmi.

La mamma di Beatrice mi ringrazia e mi dice che Silvia mi sta aspettando sotto. Mi sforzo di essere sereno.

«Grazie, signora. Se mi dà il permesso vorrei venire a trovare Beatrice. E se le serve qualcosa sono a sua disposizione, mi chiami pure... anche di mattina.»

Lei ride apertamente:

«Sei un tipo sveglio, Leo. Lo farò.»

Quando esco dal portone Silvia è lì che mi aspetta, appoggiata a un lampione come se volesse diventarne parte. Tiene lo sguardo fisso nei miei occhi che la vedono a stento, mentre galleggiano in mezzo alle lacrime. Mi prende la mano e, fragilissimi come foglie, camminiamo in silenzio per tutte le ore che restano in questa giornata, mano nella mano, forte ciascuno non della propria forza ma di quella da dare all'altro.

Quando rientro a casa c'è mia madre seduta in soggiorno. Mio padre seduto di fronte a lei. Sembrano due statue.

«Siediti.»

Metto lo zaino tra le gambe per difendermi dalla furia che mi investirà tra un istante. È mia madre a prendere la parola.

«Hanno chiamato da scuola. Rischi l'anno. Da oggi fino alla fine delle lezioni non esci più di casa.»

Guardo mio padre per capire se è la solita sparata della mamma, che poi apre una serie di contrattazioni sino a ridursi alla trattenuta sulla paghetta o a un divieto d'uscita per un sabato. Ma papà è mortalmente serio. Fine del discorso. Non dico nulla. Prendo lo zaino e salgo in camera. Che cosa vuoi che me ne importi di una punizione del genere? Se sarà necessario scapperò, figurati se riescono a tenermi in casa. E poi che fanno se scappo, mi danno una punizione di un anno? E allora scappo ancora, finché non mi mettono in punizione per tutta la vita, e allora è inutile, perché tutta la vita è una punizione e quindi non avrebbe senso sovrapporne due. Mi distendo sul letto. E i miei occhi guardano fisso il soffitto sul quale come un affresco appare il volto di Beatrice.

"Non so se hai capito: io sto morendo."

Le sue parole come mille aghi mi perforano le vene. Non ho capito niente della vita, del dolore, della morte, dell'amore. Io che credevo che l'amore vincesse su tutto. Illuso. Come tutti: recitiamo lo stesso copione in questa commedia, per essere massacrati sul finale. Non è una commedia, è un horror. Mentre mi pietrifico sul letto, mi accorgo che mio padre è entrato in camera. Sta guardando fuori dalla finestra

«Sai, Leo, anche io ho marinato la scuola una volta. Avevano appena regalato la Spider decappottabile al fratello di un mio compagno di classe, e quella mattina si andava al mare a provarla. Mi ricordo ancora il vento che copriva i nostri discorsi urlati e quell'ago a motore che tagliava l'aria come un fuso. E poi il mare. E tutta quella libertà del mare che sembrava nostra. Gli altri chiusi dentro le quattro mura di scuola e noi lì, veloci e liberi. Mi ricordo ancora quell'orizzonte ampio e senza punti di riferimento, in cui solo il sole faceva da limite all'infinito. In quel momento capii che ciò che conta di fronte alla libertà del mare non è avere una nave, ma un posto dove andare, un porto, un sogno, che valga tutta quell'acqua da attraversare.»

Mio padre si interrompe, come se vedesse fuori dalla finestra quell'orizzonte e le luci di un porto distante come in un sogno.

«Se io quel giorno fossi andato a scuola, Leo, io oggi non sarei l'uomo che sono. E le risposte di cui avevo bisogno le ho ricevute in un giorno in cui non sono andato a scuola. Un giorno in cui, per la prima volta, ho cercato da solo quello che volevo, a costo di essere punito...»

Non so se mio padre sia diventato Albus Silente o il dottor House, ma il dato di fatto è che ha capito perfettamente come sto. Quasi non riesco a crederci. Già mi aveva lasciato secco quando mi aveva raccontato dell'incontro con mamma, ma questa proprio non me l'aspettavo. In fondo lo conosco da più o meno sedici anni e non so molto di lui, quasi nulla di quello che veramente conta. Sto per dire qualcosa, ma sarebbe tanto melenso che mi fa schifo, e per fortuna papà continua.

«Io non so perché oggi non sei andato a scuola, e per questo ti meriti la punizione, che fa parte del gioco del prendersi le proprie responsabilità. Io non lo so e non lo voglio sapere. Mi fido di te.»

Il mondo sta cambiando. C'è da aspettarsi che da un momento all'altro si metta a girare al contrario, che Homer Simpson diventi un marito modello e l'Inter vinca la Champions. Mio padre sta dicendo delle cose incredibili. Sembra un film. Esattamente le parole di cui ho bisogno. Mi chiedo perché mai non lo abbia fatto prima. E puntuale arriva la risposta, senza che io abbia formulato la domanda.

«Adesso capisco che sei disposto a rischiare un anno per quello a cui tieni, e sono sicuro che non sono fesserie.»

Rimango in silenzio chiedendomi come sia possibile che basti non andare a scuola per un giorno perché la tua vita passi dal bianco e nero ai colori. Prima Beatrice, ora papà. L'unica cosa che riesco a dire è:

«Che punizione hai beccato quella volta?»

Mio padre si gira verso di me con un sorriso ironico:

«Parleremo anche di questo. Ho due o tre trucchi da insegnarti per evitare certi errori da principiante.»

Sorrido di rimando. E quel sorriso tra papà e me è il sorriso di un uomo a un altro uomo. Sta per uscire dalla stanza e la porta si è ormai chiusa quando trovo il coraggio:

«Papà?»

Rimette la testa dentro, stile lumaca.

«Vorrei solo poter uscire per andare a trovare Beatrice. Oggi ero da lei.»

Papà rimane un attimo serio e mi preparo al suo *non se ne parla*. Abbassa lo sguardo verso il pavimento e poi lo rialza.

«Permesso accordato, ma solo per questo motivo. Altrimenti...»

Lo interrompo:

«... Mi riduci nella polvere della mia ombra, lo so, lo so...»

Sorrido.

«E la mamma?»

«Parlo io con la mamma.»

La porta si è già chiusa quando lo dice.

«Grazie, papà.»

Lo ripeto due volte. Le parole rotolano sul pavimento, mentre, disteso sul letto, osservo il soffitto bianco trasformarsi in un cielo stellato. Il sangue pompa rapido nelle vene e le infiamma. Per la prima volta dopo una punizione non odio i miei genitori e me stesso. E la polvere della mia ombra è polvere di stelle.

Non potendo più uscire di casa fino alla fine della scuola mi aspettano più di due mesi di reclusione, eccetto le visite a Beatrice, che mamma ha ratificato come clausola al nostro armistizio. Sono felice nonostante la punizione, perché l'unica ragione veramente importante per uscire mi è stata riconosciuta. Per il torneo di calcio mi inventerò qualcosa... E poi c'è di buono che, con questa punizione, probabilmente alla fine sarò promosso. Senza distrazioni e impossibilitato a uscire le mie occupazioni sono diventate: studiare (per lo più con Silvia, che si applica e io no); stare al computer (ma anche lì con orari fissati dal patto del ventun marzo, cioè il giorno della visita a Beatrice e della conseguente punizione); leggere libri, anzi, meglio: leggere un libro, l'ennesimo che Silvia mi ha prestato, si intitola Qualcuno con cui correre, e il titolo almeno non è male anche se si parla di un cane da portare in giro (... è una persecuzione!); suonare la chitarra (ogni tanto Niko viene da me e suoniamo due canzoni insieme. Lui intanto ha lasciato Alice, anzi: Alice ha lasciato lui per un altro); e, incredibile a dirsi, guardare le stelle.

Sì, guardare le stelle, per il semplice motivo che papà mi ha contagiato con la sua passione per l'astronomia. Sa tutti i nomi delle costellazioni ed è capace di riconoscere le stelle creando con la punta dell'indice invisibili ragnatele d'argento che le uniscono come nel gioco dei puntini della "Settimana Enigmistica".

Un giorno magari mi torna utile con Beatrice. Le voglio mostrare tutte le stelle e inventare per lei una costellazione con il suo nome. Che forma avrà? Che forma ha un sogno?

Entro nella stanza di Beatrice con la mia chitarra a tracolla. Mi sento uno di quei suonatori ambulanti che girano per i vagoni della metropolitana, e che alla fine elemosinano un po' di felicità.

Beatrice sorride: ho mantenuto la promessa; è coricata sul letto a pancia in giù e sta leggendo, mentre lo stereo fa rimbalzare sulle pareti della stanza la voce di Elisa, che cerca una via di fuga dallo spiraglio della finestra socchiusa.

«Allora oggi cominciamo!» dice coinvolgendo nel sorriso anche il verde dei suoi occhi, come se stessimo per cominciare qualcosa destinato a non finire mai.

«Voglio imparare a suonare questa canzone» dice accennando con la testa allo stereo.

Ho aspettato a lungo
qualcosa che non c'è,
invece di guardare
il sole sorgere...

«Con un maestro come me non c'è problema... Certo, dovrò venire tutti i giorni...»

Beatrice ride con il cuore negli occhi gettando indietro la testa e portando la mano sulla bocca, come a voler limitare un gesto troppo aperto rispetto a ciò che può permettersi, lei che potrebbe permettersi qualsiasi cosa.

«Mi piacerebbe Leo, ma sai che non ce la faccio...»

Estraggo la chitarra dal fodero come se fossi The Edge.

Mi siedo sul bordo del letto, vicino a Beatrice che si tira su. Vorrei imprigionare il profumo dei suoi movimenti in un registratore di odori, se mai esistesse. Le sistemo la chitarra sulle gambe e le mostro come stringerne il manico, che sembra troppo ingombrante sul corpo debole di Beatrice. Il mio braccio la guida da dietro per aiutarla a raggiungere la corretta impugnatura e per un attimo la mia bocca è così vicina al suo collo che si chiede cosa aspetti il cervello a ordinarle di baciarlo.

La canzone di Elisa si spegne.

«Ecco, adesso devi tenere la corda premuta sul manico, facendo pressione con il pollice da dietro e pizzicare la corda con la mano destra.»

Beatrice stringe le labbra nello sforzo di far uscire un suono che rimane sordo nella stanza ora silenziosa, ed è il suono sordo che fa il suo corpo senza forze. Il suo corpo che dovrebbe riempire il mondo di un'armonia mai sentita, di una sinfonia senza limiti, non riesce a produrre che una nota sgraziata. Appoggio la mia mano sulla sua e faccio pressione con il dito, delicatamente. Le mani si sovrappongono come quando pregavo da bambino.

«Così.»

E la corda comincia a vibrare.

Con il mio corpo permetto a quello di Beatrice di suonare.

Beatrice mi fissa e sorride come se le avessi mostrato un tesoro nascosto da millenni, e invece le ho semplicemente insegnato a pizzicare una corda.

Mi passa la chitarra, impaziente.

«Fammi vedere come fai tu, così imparo più in fretta.»

Prendo la chitarra mentre lei si siede un po' discosta, rannicchiandosi e stringendo le ginocchia tra le braccia.

Inizio a strimpellare gli accordi della canzone di Elisa. Beatrice la riconosce, chiude gli occhi in cerca di qualcosa di perduto.

«Perché non canti?» mi chiede.

«Perché non so le parole» mi affretto a risponderle, ma la verità è che mi vergogno di cantare per paura di stonare.

Beatrice con gli occhi chiusi apre le labbra, lievemente, e un suono fragile le sgorga dalle corde vocali come una fonte appena emersa.

E miracolosamente
non riesco a non sperare.
E se c'è un segreto
è fare tutto come se
vedessi solo il sole...

Le mie dita diventano parte della sua voce, che vi scorre sopra come fossero il letto del fiume per quel corso d'acqua vocale. Il suo canto riempie ogni angolo della stanza, anche quelli dove la luce non arriva mai, e dilaga fuori dalla finestra, andando in giro per la città addormentata, cieca nel suo grigio e ripetitivo viavai, ammorbidendo gli angoli retti della vita quotidiana e le mascelle contratte dal dolore e dalla fatica.

Un segreto è
fare tutto come se,
fare tutto come se
vedessi solo il sole,
vedessi solo il sole,
vedessi solo il sole...
E non qualcosa che non c'è...

Accompagno le ultime parole con un arpeggio di chiusura.

Rimaniamo in silenzio, nel silenzio scaturito dalla

fine della canzone: un silenzio doppio, al quadrato, nel quale l'eco delle parole risuona come una ninna nanna che ha addormentato le preoccupazioni inutili e risvegliato ciò che conta.

Beatrice apre gli occhi e sorride: il verde dei suoi occhi e il rosso dei suoi capelli immersi nel bagliore del suo sorriso sono i colori con i quali il mondo è stato dipinto.

Poi Beatrice piange, con un sorriso mescolato alle lacrime.

Con lo sguardo fisso, immobile, attento su di lei, mi chiedo perché il dolore e la gioia piangano allo stesso modo.

I pomeriggi di studio con Silvia, in alcuni casi, costituiscono l'unico antidoto contro il veleno della tristezza. Studiamo, e a volte un verso di Dante o il detto di un filosofo ci portano lontano. Io le racconto le mie visite a Beatrice. Le ripeto tutto quello che ci diciamo e mi sento meglio: gli incontri con Beatrice mi rimangono dentro come una pietra da digerire. Ma digerire le pietre è impossibile. In qualche modo le chiacchierate con Silvia sono l'enzima per digerire quei macigni. Silvia mi ascolta con attenzione, non commenta. Basta anche il suo silenzio. Una volta però mi ha chiesto:

«Vuoi che preghiamo per lei?»

Mi fido di Silvia, e se lei pensa che sia un bene io lo faccio. Così a volte diciamo una preghiera. Non che io ci creda, ma Silvia sì. E così diciamo questa preghiera per la guarigione di Beatrice:

«Dio (*se ci sei* – questo lo aggiungo io in segreto), guarisci Beatrice.»

Non è un granché come preghiera, ma il succo c'è tutto. E se Dio è Dio non ha bisogno di troppe parole. Se Dio non esiste quelle parole sono inutili; se invece Dio esiste, forse si sveglierà dal suo sonno millenario per darsi da fare una buona volta con qualcosa che valga la pena. Questo non l'ho mai detto a Silvia, per non offenderla, ma è quello che penso.

Beatrice. Vado da lei tutte le settimane. Il giorno cambia sempre e dipende dalle sue condizioni, perché certi pomeriggi è troppo stanca. Non ci sono miglioramenti: dopo le ultime trasfusioni la situazione è stazionaria. Lei o sua madre mi mandano un messaggio quando sta meglio e io mi precipito a casa sua con i mezzi (il mio motorino dopo l'incidente è defunto e non credo si reincarnerà più in niente e poi, anche se il danno è coperto dall'assicurazione, il patto del ventun marzo prevede un'eventuale discussione su un possibile acquisto di un nuovo mezzo di locomozione solo a promozione ottenuta).

Ogni volta porto qualcosa che possa servire a distrarre Beatrice. Quando entro nella sua stanza il mio obiettivo è regalarle un pezzo di paradiso (in senso metaforico, perché non ci credo al paradiso), ma il paradiso poi lo trovo lì, perché c'è lei (allora forse il paradiso esiste, perché cose così belle non possono proprio finire). Una volta le ho portato un cd con pezzi di solo pianoforte, come piacciono a lei.

«Mi fai ballare?»

Me lo ha chiesto con un filo di voce. Non ci posso credere. Sostengo il corpo fragilissimo di Beatrice nella luce della sua stanza e la faccio galleggiare lentamente come una bolla, che da un momento all'altro può perdersi nell'aria. I capelli le sono ricresciuti abbastanza da sentirne il profumo. Stringo la sua mano e la sua vita: un bicchiere di cristallo che può spezzarsi da un momento all'altro, persino per colpa del liquido rosso che io voglio versarvi dentro.

Tutto l'impeto di portarmela a letto che un tempo associavo al pensiero di lei è lontano: ma non sono diventato finocchio. Il suo corpo dietro i vestiti sottili sembra essere una parte di me, come se la nostra pelle non sapesse più quali ossa e quali muscoli coprire. Il viso di lei appoggiato nell'incavo del mio collo è il pezzo mancante al puzzle sconnesso della mia vita, la chiave di tutto, il centro della circonferenza. Le sue gambe seguono i miei passi, che inventano la coreografia disegnata dal primo ballo di un uomo e una donna. Il cuore sembra battermi dappertutto, dall'alluce al più a nord dei miei capelli, e la forza che trovo dentro di me basterebbe a creare il mondo intero in questa stanza.

Beatrice invece riesce a fare solo pochi passi, poi si abbandona tra le mie braccia. Leggerissima, come un fiocco bianco di neve. La aiuto a rimettersi a letto. Spengo lo stereo. Lei mi fissa con gratitudine un attimo prima di chiudere gli occhi nella spossatezza del sonno e in un solo sguardo che si spegne capisco che io ho tutto quello che lei sta perdendo: i capelli, la scuola, il ballo, l'amicizia, la famiglia, l'amore, le speranze, il futuro, la vita... ma io di tutte queste cose non so cosa ne sto facendo.

Non riesco a studiare questo maledetto libro di matematica, e domani ho il compito in classe. Continuo a rivedere lo sguardo di Beatrice che si spegne sconfitto.

Lo vedo dietro le righe,
tra le righe,
nel bianco delle righe.

È come se i miei sensi si fossero ritirati e avessero sviluppato un'altra forma di percezione: tutto quello che Beatrice sta perdendo io lo devo vivere non solo per me, ma anche per lei. Lo devo vivere due volte. La matematica piace a Beatrice. E io adesso voglio studiarla, e anche bene, perché a Beatrice dispiace abbandonare persino questa misteriosa schifezza...

Da Beatrice mi trasformo in personaggi sempre nuovi: prima il maestro di chitarra, adesso il professore di geografia. Chi l'avrebbe mai detto, io che la geografia non l'ho mai studiata e mi limitavo ad appiccicare ai nomi delle nazioni l'industria metallurgica e siderurgica, tra le quali peraltro non ho mai capito la differenza, per non parlare delle coltivazioni di barbabietola da zucchero, che mi immagino piene di piante con le bustine di zucchero del bar appese.

Vengo a trovare Beatrice e la porto ogni volta in una città. Beatrice sogna di viaggiare e quando guarirà vuole girare il mondo, conoscerne le lingue, scovarne i segreti. Sa già l'inglese e il francese, vuole imparare il portoghese, lo spagnolo e il russo. Chissà poi perché il russo, con quelle lettere incomprensibili... non le basta il greco?

Dice che conoscere le lingue degli altri aiuta a vedere di più il mondo. Ogni lingua ha un punto di vista diverso. Gli eschimesi per esempio hanno quindici parole per dire "neve", in base a temperatura, colore, consistenza, mentre per me la neve è quella e basta, poi ci aggiungi un aggettivo per capire se ci puoi andare con lo snowboard. Gli eschimesi vedono quindici diversi tipi di bianco nel bianco che vedo io, la cosa mi terrorizza...

Raccolgo materiale studiando usi e costumi di una città o nazione, mi procuro su internet le immagini dei luoghi più belli da visitare, dei monumenti da non perdere, legati magari a storie interessanti. Preparo un PowerPoint e poi lo guardiamo sul computer mentre io fingo di portare Beatrice per quelle strade, come se fossi una guida turistica esperta.

Così siamo stati a visitare l'Anello d'Oro in Russia, coperti da mille strati di lana per difenderci dal freddo, ci siamo riposati all'ombra gigantesca del Cristo che sovrasta Rio, abbiamo sostato in silenzio di fronte al Taj Mahal in India, un edificio straordinariamente bianco poggiato su sabbia rossa, che un re indiano fece costruire per amore di sua moglie, ci siamo tuffati nelle acque della barriera corallina dopo essere passati dal teatro dell'Opera di Sidney, abbiamo partecipato alla cerimonia del tè, forse il primo che bevo nella mia vita, in un angolo indimenticabile di Tokyo.

Vogliamo ancora navigare il Danubio e osservare un geiser islandese, mangiare un cannolo siciliano in riva al mare, scattare una foto in bianco e nero sulla Senna, passeggiare guardando ogni artista lungo la Rambla, abbracciare la Sirenetta, rubare la polvere dell'Acropoli, comprare vestiti nella Grande Mela e indossarli subito a Central Park, girare in bicicletta tra i canali di Amsterdam, attenti a rimanere in equilibrio per non cadere nell'acqua, buttare giù almeno un sasso di Stonehenge, fare due salti sul ciglio di un fiordo norvegese rischiando di volare via e stenderci su un immenso prato irlandese pensando che al mondo esistano solo due colori: il verde e l'azzurro... Abbiamo tutto il mondo da scoprire e da esplorare e la stanza di Beatrice si trasforma in tutti i luoghi grazie alle nostre passeggiate super-low-cost.

«Beatrice, dove vuoi andare tu l'estate dopo la maturità?»

Beatrice rimane in silenzio e alza lo sguardo verso l'alto portandosi un dito sul naso e la bocca, come chi cerca una soluzione difficile.

«Io vorrei andare sulla luna.»

«Sulla luna? Un ammasso di polvere bianca senza gravità, immersa nel silenzio più buio che esista...»

«Sì, ma lì sono conservate tutte le cose che si perdono sulla Terra.»

«Di che parli?»

«Non conosci la storia di Astolfo nell'*Orlando furioso*? È un cavaliere che va a recuperare il senno di Orlando, impazzito per amore, perché lui possa tornare a combattere.»

Scuoto la testa e mi immagino come un Leo furioso, che ha perso la testa per amore.

«La studierai. Ma è solo una fantasia...» aggiunge Beatrice quasi triste.

«Cosa andresti a recuperare?»

«Tu?» mi chiede Beatrice.

«Non so, forse la mia prima chitarra, l'ho dimenticata in albergo in montagna e non l'ho mai più ritrovata, c'ero legato, avevo imparato a suonare con quella... O forse il mio motorino vecchio... non so... Tu?»

«Il tempo.»

«Il tempo?»

«Il tempo che ho sprecato...»

«Sprecato come?»

«Con cose inutili... Il tempo che non ho usato per gli altri: quanto di più avrei potuto fare per mia madre, per i miei amici...»

«Ma hai ancora tutta la vita davanti, Beatrice.»

«Non è vero, Leo, la mia vita ormai è indietro.»

«Non devi dirlo, non lo sai, tu puoi ancora guarire!»

«Leo, l'operazione è andata male.»

Ammutolisco. Non riesco a immaginare il mondo

senza Beatrice. Non riesco a sopportare il silenzio che ci sarebbe. Tutte le città da visitare sparirebbero immediatamente, bellezze inutili se fossi da solo. Tutto perderebbe senso, diventerebbe bianco come la luna. Solo l'amore dà senso alle cose.

Beatrice, se, come gli eschimesi per la neve, avessimo quindici modi per dire ti amo, io per te li userei tutti.

Fuori da casa di Beatrice la luce di maggio mi gocciola addosso come la doccia dopo le partite con Niko. E quando chiudo l'acqua sono già sotto casa di Silvia per il temibile, infinito ripassone di italiano prima dell'interrogazione su tutto il programma del secondo quadrimestre.

Andiamo avanti fino a tardi. Sono ormai le undici quando sua madre entra timidamente nella stanza e ci chiede se vogliamo qualcosa da bere. Così, mentre sorseggiamo un bicchiere di Coca che ci sveglia un po', Silvia mi propone di uscire sul balcone a prendere un po' d'aria. La Via Lattea sembra essersi data una lucidata per l'occasione. Comincio a mostrare a Silvia alcune costellazioni. Le ripeto quello che mi ha insegnato papà, aggiungendo magari qualche particolare di fantasia... Segno con l'indice le stelle, questa sera ancora più luminose dei bagliori della città, che compongono le mie costellazioni preferite: Perseo, Andromeda e Pegaso.

Racconto a Silvia, che sposta lentamente lo sguardo dal mio dito al cielo, come se il cielo lo stessi disegnando io, la storia di Perseo che sconfigge Medusa, dallo sguardo che pietrifica, dal cui sangue s'invola, bianco come la schiuma del mare, il cavallo alato: Pegaso, che ancora fluttua libero per la Via Lattea. Perseo che si imbatte in Andromeda, prigioniera su uno scoglio, in attesa che un mostro marino la divori, e la libera. La libera dal mostro.

«Mio padre mi ha fatto scoprire che il cielo non è uno schermo. Io lo vedevo come un televisore, con dei punti colorati sparsi qua e là, a caso, sulla superficie. Invece, se lo guardi bene, il cielo è come il mare: è profondo, riesci quasi a percepire le distanze tra le stelle e hai paura della tua piccolezza. E quella profondità piena di paure la riempi di storie. Sai, Silvia, non credevo, ma il cielo è pieno di storie. Prima non le vedevo, adesso le leggo come in un libro. Mio padre mi ha insegnato a vedere le storie, altrimenti sfuggono, si nascondono, si tendono come fili invisibili di una trama fra una stella e l'altra...»

Silvia mi ascolta fissando i punti luminescenti sullo sfondo uniforme, l'odore della città si acquieta vicino a lei e persino le strade sembrano profumate. Silvia ha la pace nel cuore, Silvia sorride:

«Le persone sono un po' simili alle stelle: magari brillano lontane, ma brillano, e hanno sempre qualcosa di interessante da raccontare... però ci vuole tempo, a volte tanto tempo, perché le storie arrivino al nostro cuore, come la luce agli occhi. E poi le storie bisogna anche saperle raccontare. Tu lo sai fare bene, Leo, ci metti passione. Magari un giorno diventi un astrofisico o uno scrittore...»

«Un *astro* che? No, io non sono fatto per predire il futuro...»

«Ma che hai capito, scemo! Astrofisico è chi studia il cielo, le stelle, le orbite celesti.»

«Chissà... mi piacerebbe. Ma mi sa che c'è troppa matematica da studiare. Anche se la Via Lattea è una delle poche cose bianche che non mi terrorizza.»

«Come mai?»

«Sarà perché in realtà quel bianco è fatto di tanti piccoli punti luminosi, legati tra loro... e ognuno di quei legami nasconde una storia da ricordare...»

«Già... solo le storie belle si meritano le costellazioni...»

«Hai ragione. Guarda Perseo come libera Andromeda e Pegaso che svolazza bianco e libero...»

«Ci vuole un po' di fantasia, ma...»

Interrompo le parole di Silvia che galleggiano nell'aria limpida e raggiungono le stelle, sembra quasi che possano sentirci:

«Io vorrei liberare Beatrice da quel mostro come Perseo. E scappare via su un cavallo alato...»

«Sarebbe bello...»

«Secondo te potrei fare anche lo scrittore?»

«Raccontami una storia...»

Rimango in silenzio. Fisso una stella più rossa delle altre, lampeggiante.

«C'era una volta una stella, una stella giovane. Come tutte le stelle giovani era piccola e bianca come il latte. Sembrava quasi fragile, ma era solo effetto della luce che sprigionava, che la rendeva quasi trasparente, tutta luce. La chiamavano Nana, perché era piccola. Bianca, perché era luminosa come il latte: Nana Bianca, Nana per semplicità. Amava girare per il cielo e conoscere altre stelle. Con il passare del tempo Nana crebbe e divenne rossa e grande. Non era più Nana, ma Gigante, Gigante Rossa. Tutte le stelle la invidiavano per la sua bellezza e i suoi raggi rossi, come capelli infiniti. Ma il segreto di Gigante Rossa era rimanere Nana dentro di sé. Semplice, luminosa e pura come Nana, anche se appariva gigante e rossa. Per questo Nana Rossa continua a lampeggiare in cielo, dal bianco al rosso e viceversa, perché è entrambe contemporaneamente. E non c'è bellezza più bella di lei in Cielo. E sulla Terra.»

Ammutolisco. La mia storia non è una storia. Non c'è nessuna storia, ma questo è ciò che una stella luminosa mi ha suggerito. Indico la stella.

«Quella stella la voglio dedicare a te, Silvia.»

Un sorriso bianco e rosso illumina il volto di Silvia, come se il suo viso fosse uno specchio capace di riflettere a milioni, forse miliardi di anni luce, i bagliori della sua stella.

Silvia poggia la testa sulla mia spalla e chiude gli occhi. E io in silenzio fisso Perseo, Andromeda, Pegaso. Il cielo è diventato un enorme schermo cinematografico buio, sul punto di proiettare tutti i film che desideriamo mentre, senza rumore, qualcosa di piccolo e luminoso si annida in un cantuccio del mio cuore, come il granello di sabbia che si nasconde nell'ostrica per diventare una perla.

"Ti voglio bene" dicono gli occhi di Silvia.

"Anch'io" rispondono i miei.

La prof di italiano mi interroga e mi chiede come mai io abbia cominciato a studiare solo adesso. Io guardo Silvia che scuote leggermente il capo e mi rimangio le parole che sto per dire, ma so chi devo ringraziare. Solo una cosa è andata male nell'interrogazione: sbaglio i congiuntivi.

«Perché sbagli tutti i congiuntivi, Leo? Sembra quasi che tu lo faccia apposta. Sbagli anche i più semplici...»

Anche questa volta rimango in silenzio e maledico quel giorno in cui per essere accettato dal gruppetto che frequentavo in terza media ho deciso di abbandonare il congiuntivo perché nessuno lì lo usava. Per stare nel gruppo si può rinunciare al congiuntivo, ma per parlare in italiano no. E così prendo sette anziché otto.

Da domani mi metto a ripetere frasi con il congiuntivo, che mi piaccia o no. Ecco, l'ho appena fatto. Mi piace, anche se dovrò correggerlo in tutte le cose che scriverò. Se voglio diventare scrittore devo imparare a usare il congiuntivo. Certo, il congiuntivo non è necessario per vivere, ma grazie a lui si vive meglio: la vita si riempie di sfumature e possibilità. E io di vita ho solo questa.

Vado a trovare Beatrice, sta scrivendo sul suo diario.
Anche lei, come Silvia. Mi accoglie con un sorriso e mi
chiede di aiutarla a scrivere. Il suo diario non lo legge nessuno, a me darebbe il permesso però, se scri-
vessi per lei.

«Se mi aiuti a scrivere te lo faccio leggere» mi dice,
e mi sembra di entrare nella stanza che contiene tutti
i segreti del mondo.

Ha una copertina rossa e le pagine sono bianche.
Bianche senza righe. La cosa peggiore che mi potesse capitare...

«Beatrice, io non so scrivere sulle pagine bianche.
Rischio di rovinare tutto.»

Lo dico fissando l'ordine perfetto della scrittura di
Beatrice. In alto a destra la data e poi pensieri raccon-
tati con una grafia delicata, elegante, discreta. Assomiglia a un vestito bianco in una giornata di vento pri-
maverile. Leggo il paragrafo che sta scrivendo: "Caro
Dio...". Come "Caro Dio"?! Sì: "Caro Dio...". Beatrice
scrive delle lettere a Dio. Tutto il suo diario è compo-
sto di brevi lettere a Dio, nelle quali lei racconta le sue
giornate e gli confida paure, gioie, tristezze, speranze. Rileggo ad alta voce l'ultima parte della lettera di
quel giorno, perché lei me lo chiede, in modo da poter riprendere da dove aveva interrotto.

«... Oggi sono proprio stanca. Faccio molta fatica a scriverti. Eppure avrei così tante cose da dire, ma mi consola il fatto che le sai già tutte. Nonostante questo mi piace parlartene, mi aiuta a capirle meglio. Mi chiedo se in cielo potrò avere nuovamente i miei capelli rossi... se tu me li hai fatti rossi è perché ti piacevano così, pieni di vita. Allora forse li riavrò indietro.»

Mentre leggo la voce sta per spezzarsi, ma riesco a trattenermi.

«Allora, continua a scrivere tu: oggi mi stavo proprio stancando a scrivere, la mano mi faceva male. Per fortuna mi hai mandato Leo, uno dei tuoi angeli custodi...»

Non ho mai pensato a me come custode, né tantomeno come angelo, ma non mi dispiace affatto. Leo, l'angelo custode. Suona bene. Beatrice intanto si è fermata a pensare. Punta nel vuoto i suoi occhi verdi come fondali dimenticati, dai quali sta per emergere da un momento all'altro un tesoro antico. Io interrompo quello sguardo:

«Tu sei felice, Beatrice?»

Rimane a fissare nel vuoto e dopo una pausa dice:

«Sì, lo sono.»

Quando alzo gli occhi dal diario lei è scivolata nel sonno. Le faccio una carezza e mi sembra di accarezzare la sua debolezza. Non mi sente. Dorme. Rimango a guardarla per mezz'ora senza dire nulla. Guardando lei vedo oltre, avverto qualcosa che mi impaurisce, perché non riesco a dargli un nome. Rileggo quello che abbiamo scritto. Questa volta sono io che ho reso visibile l'anima di qualcuno. L'anima di Beatrice, con la mia scrittura sghemba e in discesa... ho scritto tutte le righe in discesa. Me ne rendo conto solo ora. Non so scrivere sul bianco. Sembra che tutte le parole rotolino giù per un pendio fino a sfracellarsi...

Poi è entrata sua madre e io sono uscito. Sua madre mi bacia la fronte e io, che non so cosa fare, l'abbraccio. Dal modo in cui lei mi ringrazia capisco di aver fatto la cosa giusta. Da quando provo a vivere anche per Beatrice invento un sacco di cose giuste. Anche questo è amore, credo, perché dopo sono felice: il segreto della felicità è un cuore innamorato. Oggi porto Terminator a pisciare: dovessi farlo anche per tutta la vita. Beatrice non lo può fare, io sì. Anche questo è vita. Se Beatrice gli scrive, sicuramente Dio esiste.

Perdo tempo a scrivere i miei mmm (messaggi mai mandati...) sul cellulare. E la verità è che il T9 è più intelligente di me. Il T9 può pensare settantacinquemila parole, io solo mille. Ed è vero. Quante parole io non so, non mi vengono, parole che non conosco e il T9 mi suggerisce. Non so se il plurale di "valigia" si scriva con la "i" o senza e il T9 lo sa. Non so se "coscienza" abbia la "i" e il T9 lo sa. Non so se "accelerazione" abbia due "z" o una sola. E quando devo scrivere "stronzo" a qualcuno, alla quarta lettera spunta "puro", e allora sono costretto a trovare un sinonimo meno offensivo e me ne esco con "scemo"...

Ma chi lo ha inventato il T9? Chissà quanti soldi che ha fatto. Anch'io devo inventare qualcosa per guadagnare un sacco di soldi. Forse se mi applicassi di più ci riuscirei. Ma forse no. E se scrivo un romanzo lo scrivo con il T9. Ma perché mi perdo a pensare a queste cavolate?

Comunque sia, mi ritrovo ad aver scritto – non so neanche come – "Caro Fin...", perché la parola "Dio" con il T9 non compare. E "Fin" per Dio non mi sembra un cattivo soprannome. Il nome "Dio" mi fa paura. Continuo a scrivere, proprio come ho fatto con Beatrice, ma sul cellulare almeno le righe sono dritte: "... dici di essere padre nostro, ma sembri startene troppo tranquillo nei cieli. Io non so il tuo nome e se non ti offendi ti chiamo Fin, perché il T9 ti chiama così. Non posso accettare la tua volontà, perché non ha senso quello che stai facendo con Beatrice. Se sei onnipotente: salvala. Se sei misericordioso: guariscila. Mi hai messo un sogno nel cuore: non portarmelo via. Se mi vuoi bene: dimostramelo. O sei troppo debole per fare il Fin? Tu dici di essere la vita, ma la vita te la riprendi. Tu dici di essere l'amore, ma l'amore lo rendi impossibile. Tu dici di essere la verità, ma la verità è che non ti importa di me e che non puoi cambiare le cose. Non mi stupisce che nessuno poi ti creda. Forse sono presuntuoso ma, se io fossi al posto tuo, la prima cosa che farei – non bisogna essere Fin per capirlo – è guarire Beatrice. Amen".

Mentre scrivo, un messaggio mi interrompe e lo leggo ad alta voce:

"Ricordati sempre che io ci sono. Ti voglio bene, anche se non te lo meriti... ;-) S."

Silvia è un angelo ed è in contatto diretto con Dio, forse dovrei chiedere a lei se ha il numero di cellulare di Fin, così gli mando il messaggio. Fin, sono sicuro che farai guarire Beatrice! Al posto tuo io lo farei, e spero tu sia meglio di me...

Sono tornato da Beatrice. Mi stavo quasi preoccupando, ma poi sua mamma mi ha mandato un messaggio. La trovo addormentata, dimagrita, opaca. Una flebo accompagna goccia a goccia i secondi che scorrono. Apre gli occhi e il suo sorriso sembra venire da lontano, come sorridono gli anziani, con malinconia.

«Sono stanchissima, ma sono contenta che tu sia venuto. Volevo scrivere sul mio diario, ma non riesco a stringere la penna. Mi sento una stupida.»

Tiro fuori un foglio di carta dalla tasca e di nascosto lo metto dietro alla pagina su cui scrivere: il foglio con le righe nere per andare dritto sul foglio bianco. Quando voglio mi applico eccome! Scrivo quello che Beatrice mi detta, a tratti si ferma, le si rompe la voce, ha il respiro affannoso. Poi si assopisce. Io aspetto e la guardo scivolare via come una barca senza motore, senza vela, senza remi, portata dalla corrente. Riapre gli occhi.

«Sono troppo stanca... raccontami qualcosa tu, Leo.»

Non so di cosa parlare. Non voglio stancarla con le mie stupidaggini. Le parlo della scuola e delle mie difficoltà, di quello che è successo quest'anno, del Sognatore, di Gandalf, di Niko e del torneo di calcio che noi Pirati stiamo per vincere... le parlo di Silvia, delle volte che mi ha salvato dai guai, del giorno in cui ha fatto sega a scuola con me e poi mi ha incoraggiato a venire da lei... Beatrice mi interrompe all'improvviso.

«Ti brillano gli occhi quando parli di Silvia, come una stella...»

Beatrice sa dire frasi incredibili con la semplicità di un bambino che chiede l'ennesimo biscotto. Rimango in silenzio come chi subisce una grande ingiustizia, ma non può fare nulla per difendersi. Io non posso amare Silvia, io posso e voglio amare solo Beatrice: ed è proprio lei a dirmi che gli occhi mi brillano come le stelle quando parlo di Silvia.

«Ti sei mai innamorata, Beatrice?»

Lei mi dice di sì con un lieve sospiro e tace. Mi rendo conto che non è il caso di chiederle altro, ma so anche che solo lei ha le risposte giuste.

«E com'era?»

«Era come una casa a cui tornare quando volevo. Come quando fai immersioni subacquee. Là sotto tutto è fermo e immobile. C'è un silenzio assoluto. C'è pace. E magari quando riemergi il mare in superficie è agitato.»

Ascolto in silenzio e ho il sospetto che le parole che ho usato nella mia vita abbiano qualcosa da rivedere alla voce "amore", ma allo stato attuale se cerco quella parola l'unica cosa che trovo scritta è "vedi alla voce Beatrice". Mentre sono preso da questi inutili pensieri, Beatrice cade in un sopore sorprendente, come si spegnesse all'improvviso. O forse tiene solo gli occhi chiusi, ma capisco che devo andare.

Silvia è azzurra, non è rossa. Eppure i miei occhi brillano nell'azzurro.

Quando non sai rispondere a una domanda c'è una sola soluzione: Wikipedia. Su Wikipedia però non c'è scritto se è possibile che Silvia per me sia più di un'amica; la domanda mi tormenta come le cicale estive e non riesco a scacciarla. Provo a dividerla in due. Silvia mi ama? Io amo Silvia? Faccio almeno undici test su Facebook per scoprire se una persona ti ama. Risultato univoco: Silvia fa con me tutto quello che fa una persona innamorata, che però non ha il coraggio di dichiararsi. Adesso tocca a me. Ma non voglio scoprirlo con un test. È troppo importante. Devo verificare di persona.

«Silvia, studiamo insieme? Ho bisogno di una mano con i poeti greci.»

Decisamente la poesia non serve a nulla, è solo una scusa per innamorarsi.

Mentre Silvia ripete la traduzione di alcuni versi diffi-
cilissimi di Saffo – «Afrodite immortale dal trono va-
riopinto...» –, io la fisso senza ascoltare le parole, seguo il movimento delle labbra.

«... E tu, beata, / mi chiedesti cosa ancora una volta provavo e perché / ancora una volta ti chiamavo, /
e che cosa soprattutto desideravo accadesse / nel mio
animo folle...»

Seguo le onde dei suoi capelli neri che si agitano con
le parole che pronuncia. Ali di un gabbiano che si abbandona senza sforzo al vento.

«...Vieni da me anche ora, liberami dalle penose /
inquietudini, e quante cose il mio cuore brama, / tu
compile...»

Fisso i suoi occhi pieni di vita e di attenzione nei miei
confronti. Per la seconda volta non le guardo gli occhi,
ma le guardo *dentro* gli occhi. Un tuffo in un mare azzurro, calmo e fresco.

«Cos'hai, Leo?»

Mi scuoto dal sogno in cui sono sprofondato senza rendermene conto e non avrei voluto svegliarmi.

«Sembri distratto. Ti brillano gli occhi. Stai pensando a Beatrice...? Facciamo una pausa...»

Mi risveglio da un sogno.

«No, no, continua. Ti ascolto.»

Silvia sorride comprensiva:

«Va bene, adesso c'è il frammento che mi piace di più, quello della mela rossa. Concentrati: come la dolce mela rosseggia sull'estremità del ramo, / alta sul ramo più alto: se ne dimenticarono i coglitori di mele; / no, anzi: non se ne dimenticarono, ma non riuscirono a raggiungerla.»

Mentre Silvia ripete e segue con il dito le parole in greco, io per la prima volta credo di capire quella lingua di morti.

Ho imparato a memoria questi versi e li ho ripetuti fino a che l'alba, che ancora non conoscevo, mi ha sorpreso innamorato, rossomarcio. Ma come faccio a tradire Beatrice? Come posso raggiungere Silvia, così perfetta? Eppure è Beatrice ad avermi aperto gli occhi, è lei che mi ha fatto guardare ciò che non vedevo. Silvia è casa. Silvia è pace. Silvia è porto. Riuscirò mai a raggiungerti, Silvia?

Il brutto della vita è che non ci sono le istruzioni per l'uso. Tu le segui, e se il cellulare non funziona c'è la garanzia. Lo riporti indietro e te ne danno uno nuovo. Con la vita no, se non funziona non te la danno indietro nuova, ti devi tenere quella che hai, usata, sporca e mal funzionante. E quando non funziona perdi l'appetito.

«Leo, non hai mangiato nulla, stai male?» mi chiede mamma, alla quale non si può nascondere niente.

«Non lo so, non ho fame» rispondo seccamente.

«Allora sei innamorato.»

«Non lo so.»

«Che vuol dire "non lo so"? O lo sei o non lo sei...»

«Sono confuso, è come se avessi un puzzle di un milione di pezzi senza l'immagine completa da cui partire. Devo fare tutto da solo.»

«Leo, ma la vita è così. La via la costruisci tu strada facendo, con le tue scelte.»

«Ma se non sai scegliere?»

«Cerca di scoprire la verità e scegli.»

«E qual è la verità sull'amore?»

Mamma rimane in silenzio. Lo sapevo, non c'è risposta, niente istruzioni.

«Devi cercarla tu nel tuo cuore. Le verità più importanti sono nascoste, ma questo non vuol dire che non esistono. Sono solo più difficili da scovare.»

«E tu cos'hai scoperto in questi anni, mamma?»

«Che l'amore non vuole avere, l'amore vuole soltanto amare.»

Non rispondo. Ricomincio a mangiare mentre mia madre lava i piatti in silenzio.

Il cellulare è sul tavolo, accanto al mio bicchiere. Lo prendo e mando un messaggio a Silvia:

"Domani, cioè oggi, alle cinque alla panchina. Voglio parlarti! Questione di vita o di morte."

Arrivo con mezz'ora di anticipo, per ripetere a memoria il discorso che le voglio fare. Un barbone si avvicina per chiedermi qualcosa e io, che sono generoso con il mondo perché sto per dichiararmi a Silvia, gli regalo un euro, anzi due. Lui mi dice:

«Che Dio ti benedica.»

Non appena la vedo avvicinarsi capisco di essere stato cieco per tanto tempo. Lei mi confessa che quello è un posto meraviglioso e che ciascuno dovrebbe avere un posto così per progettare i propri sogni e dichiarare i propri segreti. La faccio sedere con i riguardi che avrei verso una regina e mentre mi contorco le mani cercando le parole, lei serissima mi ferma:

«Prima voglio dirti una cosa io, Leo.»

Spero vivamente sia la stessa, così la facciamo corta e ci abbracciamo.

«Non voglio più tenere questo segreto che mi fa scoppiare il cuore.»

Ci siamo. Ancora una volta Silvia mi salva in anticipo.

«Beatrice non ti ha mai risposto ai messaggi perché io non ti ho mai dato il suo numero.»

Guardo Silvia come uno che è appena atterrato da Marte e vede per la prima volta un essere umano. Improvvisamente tutta la bellezza dei suoi tratti mi sembra rigida, di cartapesta, come una maschera vuota.

«Lo so, Leo, mi spiace. È colpa mia.»

Non capisco.

«Quella volta che mi hai chiesto di procurarti il suo numero, io ho solo finto di farlo.»

Ricordo di averlo notato, quando Beatrice mi ha dettato il suo numero, che non coincideva con quello che avevo. Le parole d'amore che avevo preparato svaniscono come i "ti amo" scritti sulla sabbia vicino al mare. Il tono di voce si irrigidisce come ghiaccio.

«Perché lo hai fatto?»

Silvia rimane in silenzio.

«Perché lo hai fatto, Silvia?»

Silvia risponde mescolando lacrime e parole.

«Ero gelosa. Volevo che tu mandassi a me quei messaggi. Ma non ho mai avuto il coraggio di dirtelo. Ho conservato per mesi la tua lettera a Beatrice immaginando che fosse per me. Avevo il terrore di perderti. Perdonami.»

Rimango in un silenzio bianco, simile a quello che c'è sulla luna. Lei fissa la corrente del fiume e non ha il coraggio di sollevare lo sguardo. Mi alzo e vado via, lasciandola lì, come una perfetta estranea. Silvia non è più nessuno per me. L'amore non può nascere da un tradimento.

«Voglio dimenticarti quanto prima.»

Lo ripeto tra le lacrime. E quella cosa che qualche sera prima mi si era annidata in un cantuccio del cuore si inaridisce e diventa un granello di sale, che esce mescolato alle lacrime, sciolto, perso, per sempre.

Sono stanco di essere tradito.

Ho tanto di quel dolore chiuso nel petto che potrei bruciare il mondo. Rimanere chiuso in casa mi alimenta il fuoco, non ce la faccio più. Vado nello studio di mio padre e glielo dico chiaro.

«Papà, basta. Ho capito. Cazzo! Ma adesso basta!» Lui mi guarda senza dire niente. Rimane in silenzio. L'ho provocato, ho detto una parolaccia, e lui non risponde. Ma che cavolo di modo è di reagire alle provocazioni?

Sbatto la porta e torno in camera. Alzo la musica fino a far tremare le finestre, perché tutti mi sentano e nessuno possa parlarmi. Voglio chiudermi in una casa di rumore, perché oggi questa in cui vivo non è la mia casa. Terminator si mette a guaire come fa in queste situazioni. Guaisce sempre quando sente la musica dei Linkin Park a tutto volume e quando mia madre cucina il pollo con i peperoni. Sembra che in lui si risveglino istinti primitivi o brutti ricordi dell'infanzia canina. Terminator è proprio un cane strano. Se mi devo reincarnare spero non sia Terminator la mia destinazione. Chissà chi era Terminator nella vita passata...

Alzo la musica e le parole di *Numb* stanno per mandare in frantumi i vetri delle finestre, perché tutti mi sentano. A un tratto la mamma urla:

«Leo, abbassa, non riesco a parlare al telefono!»

Proprio questo voglio, ma tu non te ne accorgi e pensi che mi piaccia ascoltare questo cazzo di musica a tutto volume. Che vuoi che me ne freghi? Voglio solo riempire del mio rumore questo mondo con i tappi alle orecchie.

Poi mio padre entra in camera. Non dice nulla. Io abbasso il volume.

«Andiamo a fare due passi...»

Mi ha sentito. Mio padre mi ha sentito. Ha sentito quello che stavo dicendo veramente.

Non abbiamo parlato di niente. Ma con papà vicino sono quasi tranquillo, i miei dubbi su tutto e tutti sembrano acquietarsi. Le mie ferite bruciano meno. Papà, padre. Come si fa a diventare padre? Bisogna leggere un sacco di libri, fare almeno un figlio e avere una forza simile a quella di Dio.

Io non ne sarò mai capace.

Sdraiati l'uno accanto all'altro con gli occhi chiusi, dopo cinque minuti di fitto silenzio. È un gioco che mi ha insegnato Beatrice. Gioco di silenzio: pochi minuti zitti, a occhi chiusi a fissare i colori che compaiono sotto le palpebre. Io ogni tanto baro e guardo lei a pochi centimetri da me, trattenendo il respiro perché non senta che mi sono voltato.

«Non aprire gli occhi» mi dice come se sospettasse qualcosa.

«Non li apro.»

«Cos'hai visto?»

«Nulla.»

«Concentrati.»

«Tu cos'hai visto?» le chiedo curioso.

«Tutto quello che ho.»

«Di che colore è?»

«Rosso.»

«E cos'è?»

«L'amore che ricevo. L'amore è sempre un debito, per questo è rosso.»

Non capisco. Non sono all'altezza di quello che dice Beatrice. Mai.

«E tu, Leo, cos'hai visto?»

«Bianco.»

«A occhi chiusi?»

«A occhi chiusi.»

«E cos'è?»

«...»

«Allora?»

«Tutto quello che non ho. L'amore è sempre un credito, che non verrà saldato...»

«Ma smettila...» dice Beatrice ridendo e mi dà un bacio sulla guancia.

Da oggi non mi lavo più la faccia.

Per un pugno di goal. È il momento della resa dei conti: la sfida finale contro il Vandalo. La partita che vale la vittoria del torneo. Siamo un punto sotto di loro. Possiamo solo vincere. *Dobbiamo* solo vincere. E in gioco c'è molto di più di una vittoria: c'è la vendetta per il naso di Niko, la classifica cannonieri, l'orgoglio dei Pirati. Ho la rabbia giusta. La rabbia che esplode in tiri infuocati che bruciano la pelle degli avversari e si trasforma in entrate ruvide sulle gambe del Vandalo.

Ci giochiamo tutto. Un anno di fatiche. Se vinci il torneo tutte le ragazze ti conoscono, diventi un figo. "Il Pirata. Eccolo, quello è il Pirata. Il capitano dei Pirati..." Già le sento... Come vorrei che ci fosse Beatrice a guardarmi giocare. Voglio dedicarle questa partita, la vittoria, i goal, il trionfo sul Vandalo. Adesso devo solo concentrarmi. Manca mezz'ora, ma io sono pronto da almeno tre. Passa a prendermi Niko con il suo motorino.

Messaggio. Sarà Niko che mi dice di scendere e farmi trovare giù. "Ho paura... sono stanca, stanchissima. Sono sola... Beatrice."

La chiamo.

«Che succede, Beatrice, che succede?»

Ha la voce rotta. Piange, piange come non le ho mai sentito fare.

«Arrivo!»

Scendo e quando arriva Niko non gli do il tempo di fiatare:

«Accompagnami. Subito. Io vi raggiungo dopo, spero di farcela...»

Niko rimane senza parole e se ne va lasciandomi lì da solo. Lo vedo allontanarsi veloce, il suo motorino fa il rumore di un amico che se ne va per sempre.

E quel rumore fa maledettamente male.

Beatrice apre gli occhi rossi di pianto e si stacca dal mio abbraccio.

«Grazie per essere venuto, oggi da sola non ce l'avrei fatta...»

«Che vuoi dire?»

«Ho paura.»

«Di cosa?»

«Di perdere tutto, di finire nel nulla, nel silenzio, di sparire e basta, di non avere mai più le persone a cui voglio bene.»

Non ci sono frasi, né parole accettabili nella mia testa. Mi esce solo l'unica verità che resta, come quegli alberi che vedi solitari in un campo verde, immenso:

«Io sono qui.»

Le stringo le mani come se potessi strapparla via dal vuoto della paura, come un trapezista a cui è affidata la vita del compagno sospeso nel vuoto, senza una rete sotto.

«Scrivi...»

Il sussurro è confuso e devo chinarmi con l'orecchio alle sue labbra per capire. Il suo respiro è caldo e ruvido come un ferro strisciato sulla pietra. Scrivo le parole che Beatrice mi sussurra in un sospiro; quando ha finito di dettare mi porge il diario:

«Prendilo. Conservalo. Con oggi ho finito di scrivere. Te lo regalo.»

Non riesco: scuoto la testa e glielo poggio vicino.

«Credevo di scriverlo per me. Ho capito che lo stavo scrivendo per te. È quello che posso e voglio donarti, Leo.»

Non mi sono opposto.

«Beatrice, un giorno lo leggeremo insieme.»

Lei mi ha sorriso.

«Sì. Adesso vai. Si è fatto tardi. Sono stanca.»

Volevo anche io farle un regalo, ma non avevo portato niente. Non potevo andarmene così. Ho frugato nelle mie tasche. Nulla, tranne... la pietra dalle mille sfumature di blu che avevo preso nel suo soggiorno. Che figura! Ma è l'unica cosa che ho. Gliela appoggio sul palmo della mano, come fosse un diamante:

«Il mio portafortuna, voglio lo tenga tu.»

Beatrice sorride con il cielo negli occhi.

«Grazie.»

Le do un bacio sui capelli rossi, e in un attimo la mia vita si riempie del suo sangue.

«Alla prossima.»
«Alla prossima.»

Stringo il diario di Beatrice al petto come fosse la mia pelle. Ripenso al fatto che l'unica cosa che le ho potuto regalare l'ho rubata a casa sua. Non ho niente da regalare io, se non l'amore che ricevo o che rubo. Prima di uscire da casa di Beatrice prendo un'altra pietra azzurra. Non posso andare in giro senza il mio portafortuna...

La notte è il luogo delle parole.

Le parole del diario di Beatrice hanno illuminato a giorno la mia prima notte da sveglio, la mia prima notte da vivo: la mia prima notte. Quella in cui gli altri fanno l'amore.

Se il paradiso esiste sarà Beatrice a portarmici.

"Il dolore mi costringe a chiudere le palpebre, a nascondere gli occhi. Ho sempre pensato che avrei divorato il mondo con i miei occhi, come api si sarebbero posati su tutte le cose per distillarne la bellezza. Ma la malattia mi costringe a chiudere gli occhi: per il dolore, per la stanchezza. Solo a poco a poco ho scoperto che a occhi chiusi vedevo di più, che sotto le palpebre chiuse tutta la bellezza del mondo era visibile, e quella bellezza sei tu, Dio. Se tu mi fai chiudere gli occhi è perché io stia più attenta, quando li riapro."

Così c'è scritto sul diario di Beatrice. E io oggi chiudo gli occhi e guardo la vita con i suoi. Se la vita avesse gli occhi, sarebbero quelli di Beatrice. Da oggi io voglio amare la vita come non ho mai fatto. Quasi mi vergogno di non aver cominciato prima.

Torno da scuola. La mamma mi apre la porta.

«Che si mangia?»

Mi guarda come si guarda un bambino piccolo che si è ferito.

«No, il minestrone no...»

Le dico che ho preso otto in filosofia, ma ancora prima che io precisi la materia mi abbraccia con forza, nascondendo il mio viso nell'incavo del collo.

Sento il profumo di mia madre, un profumo che da bambino mi dava tranquillità: un profumo misto di rosa e limone. Tenue. Ma non mi sta abbracciando per il voto, altrimenti le sue lacrime non inumidirebbero il mio viso. Solo allora capisco.

Vorrei scappare, ma lei non mi lascia andare e le affondo le dita nella carne per sentire se è vero quello che mi sta dicendo senza una parola.

Mia madre è l'unica donna che mi resta.

L'unica pelle che mi resta.

Beatrice è morta

La parola è questa. Inutile girarci intorno, lei non avrebbe voluto. La gente dice *è mancata, se n'è andata, è venuta meno.* Balle!

Beatrice è morta.

Questa parola, "morta", è talmente violenta che la puoi dire una volta sola e poi devi stare zitto.

Silvia è l'unica persona a cui vorrei parlare, ma non ho le forze per perdonarle di avermi mentito. La vita è un'interrogazione fatta per estorcerti una verità che non sai e che farai finta di ricordare pur di non soffrire ancora... fino a convincerti di quella menzogna, dimenticando che l'hai inventata tu.

Dio, non servono più le stelle: spegnile una a una.
Smantella il sole e imballa la luna.
Svuota l'oceano, sradica le piante.
Ormai più nulla è importante

E soprattutto lasciami in pace!

La chiesa scoppia di persone: c'è la scuola al completo. Tutti stretti attorno a una sagoma di legno lucido, che nasconde il suo corpo, i suoi occhi spenti.

La Beatrice che ricordo non c'è più e quella che adesso è dentro quella scatola di legno è un'altra Beatrice. Ecco il mistero di questa cosa chiamata morte. Però ciò che ho amato in lei e di lei non è volato via. Non è sfuggito come un respiro troppo veloce. Tengo il suo diario stretto fra le mani, è la mia seconda pelle.

A celebrare la messa è Gandalf. Ancora una volta. Parla del mistero della morte e racconta di un certo Giobbe, a cui Dio tolse tutto e nonostante ciò Giobbe gli rimase fedele, anche se ebbe il coraggio di rinfacciargli la sua crudeltà.

«E mentre Giobbe urla tra le lacrime, Dio gli dice: "Dov'eri tu quando io ponevo le fondamenta della Terra? Chi ha chiuso tra due porte il mare? Da quando vivi, hai mai comandato al mattino e assegnato il posto all'aurora? Ha forse un padre la pioggia? Chi mette al mondo le gocce della rugiada? Puoi tu annodare i legami delle Pleiadi o sciogliere i vincoli di Orione? Chi prepara al corvo il suo pasto? Forse per il tuo senno si alza in volo lo sparviero e spiega le ali verso il Sud? Dillo, se hai tanta intelligenza!".»

Si fa silenzio dopo la lettura di Gandalf.

«Noi, come Giobbe, oggi gridiamo a Dio il nostro disappunto: non ci stiamo a quello che ha deciso di fare, non lo accettiamo, e questo è umano. Ma Dio ci chiede di fidarci di lui. Questa è l'unica soluzione al mistero del dolore e della morte: la fiducia nel suo amore. E questo è divino, un dono divino. E non dobbiamo avere paura se adesso non ci riusciamo. Anzi, dobbiamo dirlo chiaro a Dio: non ci stiamo!»

Tutte chiacchiere! Io Dio lo odio, altro che fidarmi.

Lui continua, imperterrito:

«Ma noi abbiamo la soluzione che Giobbe non ebbe. Sapete cosa fa il pellicano quando i suoi piccoli sono affamati e non ha cibo da offrire loro? Si ferisce il petto con il suo lungo becco e ne fa sgorgare sangue nutriente per i piccoli, che si abbeverano alla sua ferita come a una fonte. Come ha fatto Cristo con noi, ed è per questo che spesso è rappresentato come un pellicano. Ha sconfitto la nostra morte di piccoli affamati di vita donando il suo sangue, il suo amore indistruttibile, per noi. E il suo dono è più forte della morte. Senza questo sangue moriamo due volte...»

Si fa silenzio dentro di me. Sono una pietra di dolore sospesa nel vuoto dell'amore. Totalmente impermeabile.

«Solo questo amore supera la morte. Chi lo riceve e lo dona non muore, ma nasce due volte. Come ha fatto Beatrice...!»

Silenzio.

Silenzio.

Silenzio.

«Adesso invito chiunque voglia a ricordarla.»

Segue un lungo silenzio imbarazzato, poi mi alzo, sotto gli occhi di tutti. Gandalf osserva il mio incedere un po' in apprensione. Teme che io dica qualche stupidaggine.

«Volevo solo leggere le ultime parole del diario di Beatrice, parole che lei mi ha detto e che io ho trascritto. Sono convinto che avrebbe voluto farle conoscere a tutti i presenti.»

La mia voce si spezza e bevo lacrime inarrestabili, ma leggo lo stesso.

«Caro Dio, oggi è Leo che ti scrive, perché io non ci riesco. Ma anche se mi sento così debole voglio dirti che non ho paura, perché so che mi prenderai tra le tue braccia e mi cullerai come una bambina appena nata. Le medicine non mi hanno guarita, ma io sono felice. Sono felice perché ho un segreto con te: il segreto per guardarti, il segreto per toccarti. Caro Dio, se mi tieni abbracciata la morte non mi fa più paura.»

Alzo lo sguardo e la chiesa mi sembra inondata dal Mar Morto delle mie lacrime, sul quale io galleggio con una barca che Beatrice ha costruito per me. Incrocio gli occhi di Silvia, che mi sta fissando e in uno sguardo solo cerca di consolarmi. Abbasso lo sguardo. Scappo dal microfono perché, nonostante la mia zattera di legno, anche io sto per annegare tra le lacrime. Le ultime parole che ricordo sono quelle di Gandalf:

«Prendete e bevetene tutti. Questo è il mio sangue, versato per voi...»

Anche Dio spreca il suo sangue: una pioggia infinita di amore rossosangue bagna il mondo ogni giorno nel tentativo di renderci vivi, ma noi restiamo più morti dei morti. Mi sono sempre chiesto perché amore e sangue avessero lo stesso colore: adesso lo so. Tutta colpa di Dio!

Quella pioggia non mi sfiora. Sono impermeabile. Io resto morto.

Ultimo giorno di scuola. Ultima ora. Ultimo minuto. Suona la campanella: l'ultima.

Un grido di liberazione ne accompagna il gracchiare, come se dei carcerati venissero improvvisamente liberati dal loro ergastolo, ricevuta la grazia non si sa da chi.

Rimango solo in classe: assomiglia a un cimitero. Le sedie e i banchi che sono stati vivi per un anno intero, animati dalle nostre paure e follie, feriti dalle nostre penne e matite, se ne stanno lì, immobili come lapidi. Un silenzio di morte avvolge tutto. Sulla lavagna sono rimasti i segni veloci del Sognatore, che ci ha augurato buone vacanze a modo suo.

"A colui che attende giunge ciò che attendeva, ma a chi spera capita ciò che non sperava."

Una frase di Eraclito.

Per quanto mi riguarda è una beffa: ho perso tutto ciò in cui avevo sperato.

Così l'anno scolastico si spegne come un fuoco d'artificio. Quest'anno è durato una vita. Sono nato il primo giorno di scuola, cresciuto e invecchiato in soli duecento giorni. Ora mi aspetta il giudizio quasi universale dei voti e poi spero cominci il paradiso delle vacanze... Sarò promosso, con voti abbastanza buoni.

Una cosa però l'ho capita, grazie a Beatrice: non posso permettermi di buttare nemmeno un giorno della mia vita. Credevo di avere tutto e non avevo niente, al contrario di Beatrice, che non aveva niente e lei sì che aveva tutto.

Con Niko e gli altri non ho avuto più a che fare. Abbiamo perso il torneo per colpa mia. Non ho mai spiegato cosa era accaduto. Non mi importa. Non mi importa affatto. Silvia mi ha dato una lettera, ma non la apro. Non voglio leggerla. Non ho il coraggio di soffrire ancora.

Barba, il bidello, si affaccia e mi trova seduto immobile a guardare il vuoto.

«Non ti ho mai visto uscire per ultimo in tre anni. Che succede? Ti bocciano?»

«No, stavo solo pensando...»

«Be', allora il miracolo l'hanno fatto davvero!»

Ridiamo insieme, e una pacca sulla spalla è ciò che resta per ritornare alla vita.

A metà del corridoio, tornando sui miei passi, gli grido:

«Non la cancelli!»

La scuola è il mondo al contrario: non si mette nulla nero su bianco, ma viceversa. A scuola tutto è fatto per essere dimenticato, come la poca polvere bianca del gesso.

Barba non mi ha sentito e il cancellino, arma di tante battaglie, passa inesorabile sulle speranze di un sognatore.

Dopo l'estate

Poscia, piangendo, sol nel mio lamento
chiamo Beatrice e dico: «Or sè tu morta?».
E mentre ch'io la chiamo, mi conforta.

DANTE ALIGHIERI, *Vita Nova*, XXXI

L'estate è il motivo per cui si vive, ma questa è stata diversa. Non è stato il tempo delle urla, ma quello del silenzio. Non ho visto né sentito nessuno per tutta l'estate. Io ho passato quasi tre mesi in montagna, nell'albergo dove andiamo sempre. Questo è il primo anno in cui ne avevo voglia. Avevo bisogno di silenzio. Avevo bisogno di camminare da solo. Avevo bisogno di non trovare nuovi amici. Avevo bisogno di non cercare a tutti i costi una ragazza, solo per avere qualcosa da raccontare a Niko dopo le vacanze. Avevo bisogno dei miei genitori. Avevo bisogno del diario di Beatrice, perché lì era contenuto uno spiraglio di felicità. Avevo bisogno dell'essenziale, e in montagna è più facile trovarlo.

In montagna la sera si vedono le stelle come non le vedi da nessun'altra parte. Spesso papà mi racconta storie di stelle. Mamma sta lì ad ascoltare, guardando noi più che le stelle. Una sera papà mi racconta la storia della stella che ho regalato a Silvia e quella luce, ancora calda, illumina un cantuccio del mio cuore che avevo chiuso con mille catenacci.

Non sono riuscito ad aprire la lettera di Silvia, non l'ho neanche portata con me. Continuo a scriverle sms, ma non riesco a inviarli. Però li conservo tutti: categoria mmm.

Così come conservo quelli che lei mi ha inviato in

passato. Non riesco a cancellarli. Ne devo avere più di un centinaio sul cellulare e ogni tanto, quando non so cosa fare, quando non penso a niente, quando mi annoio, quando ne ho bisogno, li rileggo a caso. Li scorro e scelgo il numero di messaggio che mi ispira di più. Trentatré: "Sei il ragazzo più stupido che io conosca, ma almeno non sei noioso...". Dodici: "Ricordati di portare il libro di storia, stupido!". Cinquantasei: "Smettila di fare lo scemo. Usciamo e mi racconti tutto". Ventuno: "Quanto porti di piede? Qual è il tuo colore preferito?". Cento: "Anche io".

Il messaggio più bello: lo riempivo di quello che volevo e lui mi diceva sempre "anche io". E non ero mai solo. Era il numero cento e portava fortuna. Io potrei scrivere un romanzo solo di sms. I personaggi al momento sono pochi: Silvia, Niko, Beatrice e sua madre, il Sognatore e io. Sì, il Sognatore: avevo il suo numero di cellulare e quest'estate gli ho mandato un messaggio per salutarlo e per chiedergli se il suo amico, quello che aveva avuto il problema con il padre, stava meglio. E lui mi ha risposto che, grazie alle parole di Beatrice che io avevo letto al funerale, il suo amico aveva cominciato a guarire da quella ferita. Gli ho chiesto allora che ne sapeva il suo amico di Beatrice. Lo aveva forse invitato al funerale?

"In un certo senso... Grazie Leo, sono felice di averti incontrato."

Rispondo: "Ma di cosa?".

Si possono fare certi discorsi via sms? Sì, ne sono convinto.

"Di avere avuto il coraggio di leggere quelle parole. Ritroveremo chi abbiamo amato e c'è tutta la vita per chiedere perdono."

Ho riletto quella risposta almeno centoventisette volte, era troppo filosofica, e alla centoventottesima ho capito tre cose:

1) Chiamo filosofiche tutte le "cose" che sono veramente importanti e a questo forse serve la filosofia...

2) Devo rispondere all'sms del Sognatore: "Merito di Beatrice, ci vediamo presto!".

3) Non vedo l'ora di tornare a casa per leggere la lettera di Silvia.

Passo la sera a guardare la sua stella, poi la mamma si siede accanto a me nel cuore della notte, con il profumo degli abeti e il chiarore della luna che le illumina il viso riposato.

«Mamma, come si fa ad amare quando non si ama più?»

La mamma continua a tenere lo sguardo al cielo, adesso è sdraiata accanto a me che fisso la Nana Bianca Gigante Rossa detta Silvia.

«Leo, amare è un verbo, non un sostantivo. Non è una cosa stabilita una volta per tutte, ma si evolve, cresce, sale, scende, si inabissa, come i fiumi nascosti nel cuore della terra, che però non interrompono mai la loro corsa verso il mare. A volte lasciano la terra secca, ma sotto, nelle cavità oscure, scorrono, poi a volte risalgono e sgorgano, fecondando tutto.»

Il cielo sembra la cassa di risonanza di quelle parole dolci, che solo in una serata così non risultano retoriche.

«E allora che devo fare?»

Mamma tace per almeno due minuti, poi le sue parole escono dal silenzio come un fiume che dopo tanta fatica arriva al mare:

«Amare lo stesso. Puoi sempre farlo: amare è un'azione.»

«Anche quando si tratta di amare chi ti ha ferito?»

«Ma questo è normale... Due sono le categorie di persone che ci feriscono, Leo, quelli che ci odiano e quelli che ci amano...»

«Non capisco. Perché chi ci ama dovrebbe ferirci?»

«Perché quando c'è di mezzo l'amore le persone a volte si comportano in modo stupido. Magari sbagliano strada, ma comunque ci stanno provando... Ti devi preoccupare quando chi ti ama non ti ferisce più, perché vuol dire che ha smesso di provarci o che tu hai smesso di tenerci...»

«E se proprio non riesci ad amare lo stesso?»

«Non ci hai provato abbastanza. Spesso ci inganniamo, Leo. Pensiamo che l'amore sia in crisi, e invece è proprio l'amore che ci chiede di crescere... come la luna: ne vedi solo uno spicchio, ma la luna è sempre lì tutta intera, con i suoi oceani e le sue vette, devi solo aspettare che cresca, che a poco a poco la luce ne illumini tutta la superficie nascosta... e per questo ci vuole tempo.»

«Mamma, perché hai sposato papà?»

«Secondo te?»

«Perché ti ha regalato una stella?»

Mamma sorride e la luna illumina la linea perfetta dei denti incorniciati dal viso capace di calmare ogni mia tempesta.

«Perché volevo amarlo.»

Mamma mi scompiglia i capelli per liberare i pensieri cupi che ancora ci sono incastrati dentro, come faceva quando ero un bambino pieno di paura e mi nascondevo tra le sue braccia.

Poi c'è stato solo il silenzio di chi guarda la luna e il Cielo e parla con chi vuole, lì dietro le stelle.

Dove l'avrò messa? Non la trovo, non la trovo da nessuna parte. Disastro cosmico. Dopodomani comincia la scuola e io non trovo la lettera di Silvia. Fin, almeno questa volta aiutami! Così ho visto la luce: il libro di storia. Meno male che non l'ho venduto come gli altri, giusto per non fare un torto al Sognatore che ci trova così tante cose in quel libro, più di quelle che ci sono realmente scritte...

Ecco dove l'avevo lasciata, ma non voglio ancora leggerla. I miei sogni si realizzano su una panchina, è lì che la voglio leggere e pensarci con calma.

«Mamma, porto Terminator a pisciare!»

Corro, corro, corro. Corro come non ho mai fatto in vita mia. Terminator striscia la lingua per terra raccattando tutta la polvere dell'universo, non riesce a starmi dietro. Sembra che tra i due sia Terminator a portare me a passeggio e cerchi di frenarmi.

Ed eccola lì, la mia panchina: vuota, solitaria, rossa, in attesa dei miei sogni. Terminator lo lascio girellare per i fatti suoi, tanto anche lui qui diventa felice e se ne sta buono buono.

Apro la lettera e vedo la calligrafia di Silvia, quella grafia che io ho sempre voluto avere e non avrò mai.

Caro Leo,

eccomi qui a raccontarti un episodio che mi ha fatto pensare a te, e non sono riuscita a trattenermi dallo scriverti. So che sei furioso con me e che non vuoi parlarmi. Prendi questa lettera come uno sfogo che sei l'unico che può raccogliere.

L'altro giorno sono andata in gita con un gruppo di amici di famiglia. A un tratto mi sono ritrovata sola con il figlio di uno di loro. Si chiama Andrea e si è preso una cotta per me. Quando siamo rimasti soli si è avvicinato e ha provato a baciarmi. Io l'ho respinto, lui è rimasto di sasso, si è girato e se ne è andato, come hai fatto tu quel giorno. Ma mentre fissavo le spalle di Andrea, dentro di me non trovavo la forza di rammaricarmi. Andrea non significa nulla per me. Quando ho fissato le tue spalle, quel giorno, dalla tua panchina, qualcosa dentro di me si è spezzato. Ho capito che io riesco a vedere il mondo solo insieme a te.

I Greci raccontavano che originariamente l'uomo era sferico e che Zeus per punirlo delle sue malefatte lo aveva spaccato a metà. Le due metà vagano per il mondo e si cercano. La nostalgia le spinge a cercare ancora e ancora, e quando si trovano quella sfera vuole tornare unita. Questa storia ha del vero, ma non è sufficiente. Quando le due metà si incontrano di nuovo, hanno vissuto le loro vite fino a quel momento. Non sono uguali a come si erano lasciate. I loro lembi non coincidono più. Hanno difetti, debolezze, ferite. Non basta *che si incontrino di nuovo e si riconoscano. Adesso devono anche scegliersi, perché le due metà non combaciano più perfettamente, ma solo l'amore porta ad accettare gli spigoli che non combaciano e solo l'abbraccio li smussa, anche se fa male. Quel giorno, Leo, ho scoperto che le nostre metà non combaciano perfettamente e solo un abbraccio può farci combaciare. Senza la tua presenza il mondo si è svuotato. Mi manca tutto di te: la risata, lo sguardo, i congiuntivi mancati, gli sms, le chiacchierate... Tutte quelle cose insignificanti che valgono tutto per me, perché sono tue.*

Ecco: solo questo volevo dirti. Le tue spalle non saranno mai come quelle di nessun altro per me. Quando sei tu a darmi le spalle, è la vita che mi dà le spalle. Perdonami. E se puoi riprendimi con i miei difetti. Abbracciami così. Come io farò con te. Saranno i nostri abbracci a cambiarci. Io ti voglio bene come sei, fallo anche tu, anche se non sono perfetta come Beatrice. Vorrei che la tua panchina diventasse nostra: due cuori e una panchina. Come vedi mi accontento di poco...

Alzo lo sguardo e il fiume sta scorrendo indifferente ai cambiamenti mondiali, quel fiume che ha raccolto secoli di lacrime di gioia e di dolore e le ha portate dove le lacrime devono stare: in mare, che è salato per questo. Stringo il mio portafortuna, che brilla d'azzurro nell'azzurro del mattino, e sento Beatrice vicina, così vicina che è come se stessi vivendo con due cuori, il mio e il suo, con quattro occhi, i miei e i suoi, con due vite, la mia e la sua.

E la vita è l'unica cosa che non s'inganna, se tu, cuore, hai il coraggio di accettarla...

Ormai è sera. Una di quelle sere di settembre in cui profumi, colori, suoni sembrano un arcobaleno capace di unire Cielo e Terra. Beatrice mi guarda dalla sua stella. Ho la chitarra in mano e un bassotto pensionato ai piedi: Terminator era la scusa necessaria per uscire a quest'ora senza destare troppi sospetti. Suono al citofono e le chiedo di affacciarsi alla finestra della sua stanza.

«Ma chi è?»

Quando si sporge dal secondo piano di quello che ormai è diventato un castello da fiaba, fa fatica a scorgermi nel buio della strada poco illuminata. Ma può sentire la mia voce.

«Quando tu hai scritto la lettera al posto mio, ti avevo promesso che avrei cantato per te...»

Silenzio. Mentre accordo la chitarra mi perdo nel blu scuro del cielo e attacco:

> Sai, nascono così
> fiabe che vorrei
> dentro tutti i sogni miei...
> E le racconterò
> per volare in paradisi
> che non ho.
> E non è facile restare

senza più fate da rapire,
e non è facile giocare
se tu manchi...

Nel buio immagino il volto di Silvia che ascolta, che
ascolta la mia voce e non mi vergogno più di nulla, perché se ho una bella voce è per regalarla a lei:

Portami con te,
tra misteri di angeli
e sorrisi demoni.
E li trasformerò
in coriandoli di luce tenera.
E riuscirò sempre a fuggire
dentro colori da scoprire...

Sono dentro tutte le favole del mondo e le sto rein-
ventando tutte, in chiave urbana, per renderle reali.
Altri volti appaiono alle finestre del palazzo incantato, incuriositi da quella serenata. Ma io me ne frego,
come il più libero degli uomini, che non ha paura di
affrontare il mondo intero pur di non perdere quello
che veramente conta.

Aria, respirami il silenzio,
non mi dire addio,
ma solleva il mondo...

Sento la mia voce libera e pesante allo stesso tempo. La sua pesantezza sono gli eventi passati, trasfor-
mati però in ali e piume che la fanno volare, leggera
e grave allo stesso tempo. So volare solo adesso che
sono pesante.

Aria, abbracciami.
Volerò, volerò, volerò,
volerò...

Silenzio. Quando alzo lo sguardo Silvia non c'è più. Qualcuno fischia e mi spernacchia. Qualcuno ride, forse invidioso. Qualcuno applaude.

Il portone del castello incantato si apre. Un'ombra mi viene incontro lentamente. Fisso il volto che si avvicina nella penombra.

«Silvia è a danza... te l'ho detto da su, ma non mi sentivi... dovrebbe tornare da un momento all'altro. Però sei bravo! Ti ho ascoltato bene. Eri tu al cento per cento...»

La madre di Silvia sorride. L'ho scambiata per Silvia, ma è la madre. Per fortuna il buio nasconde il rosso che sta divampando sulla mia faccia, che potrebbe esplodere da un momento all'altro in mille pezzi, come nel peggiore degli horror.

«Vuoi salire finché non torna?»

«No, grazie, la aspetto qui...»

«Come vuoi. Però... cantagliela di nuovo...»

Mi siedo sulle scale davanti al portone, con la chitarra, come un gitano che chiede l'elemosina per la sua arte cercando di affondare la vergogna o qualche segreto nel cuore della notte. Terminator si accoccola ai miei piedi, tranquillo, per la prima volta in vita sua.

Chiudo gli occhi e canto di nuovo, quasi sussurrando, mentre le mie dita arpeggiano la melodia come un tappeto volante sul quale la mia voce attraversa libera i tetti della città e afferra le stelle, come fossero le note della mia canzone, galleggianti sullo spartito infinito del cielo.

Quando apro gli occhi un volto mi squadra.

Quel volto dagli occhi azzurri, attenti, con fatica, come si apre una porta arrugginita, sorride, e da quella porta socchiusa a un tratto soffia e mi investe la felicità dimenticata, alla quale, dopo la morte di Beatrice, non pensavo più. Soffia, mi avvolge, mi sommerge e mi sussurra quasi cantasse: "E riuscirò sempre a fuggire dentro colori da scoprire...".

Ci abbracciamo come si abbracciano due pezzi di lego.
«A me sembra che combaciamo perfettamente» le sussurro all'orecchio.
Silvia mi risponde abbracciandomi più forte. Grazie a quell'abbraccio sento i miei spigoli, i miei difetti, le mie spine. E li sento già smussarsi, addolcirsi, e incastrarsi con dolcezza nei vuoti di lei.
Terminator corre attorno a noi formando dei cerchi che ci proteggono magicamente da qualsiasi stregone, come succede nelle fiabe.
E un bacio è il ponte rosso che costruiamo tra le nostre anime, che danzano sulla vertigine bianca della vita senza paura di cadere.
«Ti amo, Leonardo.»
Il mio nome, tutto intero, il mio vero nome preceduto da quel verbo alla prima persona è la formula che spiega tutte le cose nascoste nel cuore del mondo.
Mi chiamano Leo, ma io sono Leonardo.

E Silvia ama Leonardo.

«Ti insegno un gioco.»

«Non sarà mica uno dei tuoi assurdi sfidoni?»

«No, no, è un gioco che mi ha insegnato Beatrice: si chiama gioco di silenzio.»

«Ma quale, quello che si faceva alle elementari?»

«No, no. Ascolta. Ci si sdraia uno accanto all'altro in silenzio. Si rimane zitti per cinque minuti a occhi chiusi e ci si concentra sui colori che compaiono sotto le palpebre.»

Sulla panchina rossa non c'è molto spazio per due, ma stringendoci ci stiamo, vicinissimi, con il viso rivolto verso il cielo. L'amore è anche questo: farsi spazio insieme, dove manca.

Mano nella mano, a occhi chiusi e in silenzio, con il conto alla rovescia del cellulare puntato su cinque minuti.

Quando al secondo minuto apro gli occhi di nascosto e mi volto verso Silvia la trovo a fissarmi. Mi fingo arrabbiato e guardando il display del cellulare le dico che mancano ancora almeno tre minuti.

«Che hai visto?» mi chiede.

«Il cielo.»

«E com'era?»

«Azzurro...» *come i tuoi occhi*, vorrei dirle, ma le parole non escono.

Come se avesse capito, Silvia sorride un sorriso perfetto, senza nuvole.

«E tu?»

«Tutti i colori.»

«E cos'erano?»

«Arlecchino... ed eri tu.»

«Grazie... molto carina...» dico un po' seccato.

Avevo pensato al cielo, forse come il più prevedibile dei romantici, ma il cielo è pur sempre il cielo. Io invece ai suoi occhi chiusi facevo la figura di una maschera di carnevale sfigata.

Silvia ride, poi si fa seria e senza distogliere lo sguardo comincia:

«Arlecchino era un bambino povero. Un giorno tornò a casa triste e la mamma gli chiese perché. L'indomani era carnevale: tutti avrebbero avuto un vestito nuovo e lui non avrebbe avuto nulla da mettersi. La madre lo abbracciò e lo rassicurò. Arlecchino andò a letto rincuorato. La madre, che era una sarta, prese la sua cesta di pezze colorate, rimasugli di altri vestiti, e passò la notte a cucirle una con l'altra. L'indomani Arlecchino aveva il vestito più bello e originale. Tutti gli altri bambini erano meravigliati e gli chiedevano dove l'avesse comprato, ma lui taceva per custodire il segreto della madre, che aveva passato la notte a cucire quelle pezze colorate: bianco, rosso, blu, giallo, verde, arancione, viola... E capì che non era povero, perché sua mamma gli voleva bene più di qualunque altra e quel vestito era la dimostrazione.»

Silvia rimane in silenzio per qualche secondo.

«Leonardo, tu sei il più bello di tutti, perché hai saputo ricevere e dare amore, non ti sei tirato indietro. E ne porti i segni addosso.»

«Sei tu a essere così, Silvia.»

Rimango a fissare il cielo in silenzio, con Silvia che

incastra il viso tra la mia spalla e il collo e le dita tra le mie dita, come un puzzle perfetto. Mi sembra di vedere la mia pelle coperta di mille pezze colorate.

In fondo, tutta la vita non fa altro che ritagliarti un vestito multicolore, a costo di tante notti insonni, notti di rimasugli di altre vite cuciti insieme.

Proprio quando ci sentiamo più poveri la vita, come una madre, sta cucendo per noi il vestito più bello.

Primo giorno di scuola. Mi sveglio quaranta minuti prima. Non perché sia il primo giorno di scuola, ma perché ho deciso di andare a prendere Silvia a casa. Sfreccio con il mio nuovo bat-cinquantino (che è la reincarnazione del precedente, ma con i freni...) in un'aria di settembre che ha l'azzurro dentro, come l'azzurro del portafortuna che ho al collo. Volo tra le macchine come Silver Surfer.

Rido a tutto e tutti, persino ai vigili addormentati e ai semafori rossi, che invano cercano di frenare il mio volo. Quando arrivo, Silvia mi sta già aspettando. Quella puntuale è lei, mica io. Sale sul mio destriero. Sento le sue braccia che stringono la mia vita. La mia vita nelle sue mani.

Non ha paura come un tempo. Se non altro perché ora ho i freni. Il motorino è diventato un cavallo bianco, che non galoppa ma vola sull'asfalto. Sono vivo! Guardo il cielo e sembra quasi che la luna ancora bianca sia il sorriso di Dio... nulla a che vedere con lo sguardo truce di Niko, che mi si affianca in atteggiamento da sfidone. Non posso rifiutare. Lo lascio vincere perché ho Silvia dietro, ma il sorriso che ci scambiamo con Niko alla fine dello sfidone è la più calda delle strette di mano, il più rosso degli abbracci. Con i maschi è sempre tutto più facile.

Primo giorno di scuola. Seduto vicino a Silvia anche le ore scolastiche sembrano brevi, meravigliose, piene di vita. Sembra che l'universo in fin di vita abbia ricevuto la trasfusione di sangue di cui aveva bisogno per tornare a respirare.

Da oggi comincio a scrivere. Devo scrivere tutte queste cose per potermele ricordare. Non so se sono capace, ma almeno questa volta voglio applicarmi. Forse è meglio che usi la matita. No, meglio la penna. La penna rossa. Rossa come il sangue. Rossa come l'amore, l'inchiostro delle pagine bianchissime della vita. Io credo che le uniche cose che valga la pena ricordare siano quelle raccontate con il sangue: il sangue non fa errori e nessun professore li può correggere.

Il bianco di queste pagine non mi fa più paura e lo devo a Beatrice: lei, bianca come il latte, rossa come il sangue.

Fisso l'azzurro degli occhi di Silvia: un mare in cui far naufragio senza morirne, sul fondo del quale c'è sempre pace, anche quando la superficie è in tempesta. E mentre questo mare mi culla, sorrido il sorriso perfetto. Il mio sorriso dice senza parole che quando cominci a vivere davvero, quando la vita nuota dentro il nostro amore rosso, ogni giorno è il primo, ogni giorno è l'inizio di una vita nuova.

Anche se quel giorno è il primo giorno di scuola.

Caro Leo,

ti rendo il manoscritto. L'ho letto tutto d'un fiato, in una notte, e mi ha fatto venire in mente la storia di un famoso generale greco che doveva fronteggiare con soli seicento uomini, rifugiatisi sul monte Parnaso, un esercito immenso di nemici che li accerchiava alle falde della montagna. La disfatta era certa, ma l'indovino del piccolo esercito ebbe un'idea: suggerì di cospargere di gesso i suoi compagni, loro e le loro armi.

Questo esercito di fantasmi attaccò i nemici di notte, con lo scopo di uccidere chiunque vedessero non imbiancato. Le sentinelle dell'enorme esercito nemico, appena li scorsero, ne furono terrorizzate. Pensando a chissà quale strano prodigio, cominciarono a urlare e fuggire nel cuore della notte, inseguiti da un esercito di fantasmi, il cui pallore era acceso dalla notte di luna. Le truppe erano paralizzate dal terrore, tanto che i seicento alla fine rimasero padroni del campo, in compagnia di quattromila cadaveri insanguinati. Il sangue si era attaccato anche alle armature e alla pelle bianca dell'esercito fantasma, che al chiarore del mattino appariva ancora più pauroso in quella mistura di bianco e di rosso.

Leo, a volte noi abbiamo paura di nemici che sono molto meno forti di quello che sembrano. Solo il bianco che li riveste, nel cuore della notte, li fa apparire misteriosi e terribili. Il vero nemico non sono i soldati rivestiti di gesso, ma la paura.

Ci vuole il bianco.

Così come ci vuole il rosso.

Forse non sai che i recenti studi antropologici sostengono che, nella maggior parte delle culture, i primi nomi riferiti ai colori distinguono tra chiaro e scuro. Quando una lingua si raffina fino a comprendere tre nomi di colori, quasi sempre il terzo termine si riferisce al rosso. I nomi che indicano gli altri colori si sviluppano solamente in seguito, dopo che il termine che indica il rosso diviene di uso comune, ed è frequente che il termine "rosso" sia collegato alla parola che indica il sangue.

Gli studiosi confermano quello che tu hai scoperto con la vita. Le culture, le civiltà hanno elaborato in decenni quello che tu hai capito in un anno scolastico. Grazie per aver condiviso con me la tua scoperta.

Mi sono limitato a integrare le parti in cui parli di me e a correggere qua e là qualche congiuntivo, ma per il resto non no toccato nulla delle tue righe. Sarebbe stato come toccare la tua vita, e quella voglio che rimanga intatta.

Sono orgoglioso di aver preso parte a questa avventura e fiero di te.

Inguaribilmente prof,
il Sognatore

Ringraziamenti

Una volta un alunno, disperato per l'ennesimo compito di scrittura che gli avevo appioppato, mi ha chiesto a bruciapelo: «Prof, ma lei perché scrive?». Ho risposto d'istinto: «Per sapere come va a finire». E va a finire sempre così, nella scrittura come nella vita: con un grazie.

Qualcuno ha detto che i cattivi scrittori copiano, quelli buoni invece rubano. Non so a quale categoria mi assegnerà il lettore, ma certo è che entrambe saltano fuori dal debito verso la vita e le persone da cui si è copiato, rubato o – meno furtivamente – ricevuto. La vita ha sempre il miglior copyright: un'inesauribile sceneggiatrice che fa di noi personaggi sempre più capaci di amore e di amare.

E allora, come si dice? ci tormentavano da bambini. Rispondevamo con quei *grazieee* dalla "e" leziosamente allungata, senza crederci neanche un po'. Crescendo, invece, dire grazie è diventato per me non solo un atto di buon senso, ma forse il modo più felice di stare al mondo.

E allora:

alla mia famiglia, da cui ho imparato che l'amore è possibile, sempre: ai miei genitori, Giuseppe e Rita, che quest'anno festeggiano il loro quarantacinquesimo di matrimonio; ai miei straordinari fratelli e sorelle che con i loro punti di vista mi riempiono di sfumature i colori del mondo: Marco, il filosofo, Fabrizio (con Marina e Giulio), lo storico, Elisabetta, la psichiatra, Paola, la storica dell'arte e Marta, l'architetta e autrice della mia foto in sovraccoperta. A loro aggiungo Marina Mercadante-Giordano e la sua famiglia;

a chi ha creduto in questo libro e mi ha aiutato a portarlo a compimento: prima fra tutti Valentina Pozzoli, impareggiabile levatrice di storie, senza la quale questa non avrebbe visto la luce. E poi: Antonio Franchini, che ci ha creduto da subito con lo stesso entusiasmo che ho visto nei suoi bambini quando ascoltano le fiabe nella terrazza detta "Grecia", Marilena Rossi, che conosce e ama i personaggi più di me, Giulia Ichino e Alessandro Rivali, amici e revisori attenti, delicati e sinceri;

in ordine sparso a tutti coloro che, in modi e tempi diversi, hanno avuto un ruolo dietro le quinte di queste pagine: gli alunni e i colleghi di quarta ginnasio A e B del liceo San Carlo di Milano, tutti gli alunni romani, in particolare quelli della quinta ginnasio del liceo Dante, dello Iunior, del liceo Visconti, del gruppo teatrale Eufemia, di Ripagrande. Mario Franchina, indimenticabile professore di liceo, padre Pino Puglisi che, quando frequentavo la seconda liceo, un giorno non è più tornato a scuola. Susanna Tamaro, Roberta Mazzoni, Gianluca e Tessa De Sanctis, Federico e Vanessa Canzi, Roberto e Monica Ponte, Angelo e Laura Costa con le loro famiglie, gli amici di Living Room e Delta. Aldo Viola, Paolo Pellegrino, Rosy della libreria Il Trittico, Raffaele Chiarulli, Sveva Spalletti, Guido Marconi, Filippo Tabacco, Alessandra Gallerano, Paolo Virone, Antoine De Brabant, Michele Dolz, Valentina Provera, Sirio Legramanti, Paolo Diliberto, Giuseppe Corigliano, Sergio Morini, Mauro Leonardi, Armando Fumagalli, Marco Fabbri, Paola Florio, Maurizio Bettini e i colleghi del dottorato, Emanuela Canonico, Giuseppe Brighina, Lorenzo Farsi, Carlo Mazzola, Marcello Bertoli, Cristian Ciardelli... e il cane dei miei vicini;

a te, lettore, che, su un divano, sotto le coperte, per strada, in autobus, su una panchina rossa o dovunque tu preferisca, sei arrivato a questa pagina e quindi hai dedicato il tuo prezioso tempo ai miei personaggi...

grazie.

P.s. In Italia la normativa che regola la donazione di sangue da parte di un minorenne è più rigida e complessa di quanto potrebbe risultare dal romanzo. Le ragioni narrative hanno su questo punto avuto la meglio sulla precisa aderenza alla realtà.

Indice

N 02997

Questo volume è stato stampato
presso Mondadori Printing S.p.A.
Stabilimento Nuova Stampa Mondadori - Cles (TN)

Stampato in Italia - Printed in Italy